DE KOELE MINNAAR

Hugo Claus

DE KOELE
afgeschreven
MINNAAR

ROMAN

2008

DE BEZIGE BIJ

AMSTERDAM

Copyright © 1956 Hugo Claus
Eerste druk 1956
Negenentwintigste druk 2008
Omslagontwerp Esther van Gameren
Omslagillustratie Getty Images
Foto auteur Stephan Vanfleteren
Vormgeving binnenwerk Peter Verwey, Heemstede
Druk Clausen & Bosse, Leck
ISBN 978 90 234 2879 4
NUR 301

www.debezigebij.nl

1

De kelner bracht het ijs, zij keek er aandachtig naar. In de volgende tien minuten smolt het en liep het roze en dik over de rand van de beker; het leek alsof zij het zag smelten vanachter haar zonnebril maar de jongeman wist dat zij haar ogen dicht had, de rimmel moest nu in haar ogen branden. Zij bewoog niet. Er was niets meer te zeggen. Zij had een lichtgele strohoed op, het zijden lint om de boord had de pauselijke kleuren, wit en goud. Haar huid was roodverbrand en zij had haar lippen dieproze, bijna violet geschminkt. De droge lippen openden zich, maakten de strakke rimpels om haar neusvleugels en mondhoeken los.

'Ik dacht dat je gelukkig was, toen, in Venetië.' De klanken, gehinderd door de hete namiddag, de straatgeluiden kwamen door. 'Je zei het toch dat je gelukkig was. Waarom zei je het? Je hoefde mij niets op de mouw te spelden. Ik had het wel begrepen als je het mij kalm en vriendelijk had gezegd. "Ik heb genoeg van je," is dat zo moeilijk om te zeggen?'

Hij knikte, maar zij zag het niet. Zij wilde zijn vriend zijn, dat zei zij af en toe. Een nonchalante jongeman wilde zij worden, die hem geld lenen zou, met hem naar de bioscoop zou gaan, naar voetbalmatches, die zelfs met een zekere luchtige afstand over vrouwen spreken zou. Alsof het kon. Alsof zij niet duister, heet en vochtig was en gerekt achteroverlag in kamers met door het licht doorstreepte blinden die de geur van haar huid nooit buiten lieten, kamers waar zij hem riep, hem dwong.

Zij zei: 'Wij zouden samen naar huis gaan, langs Menton en Marseille, dat herinner je je toch! En nu... Waarom toch?'

Zij boog zich voorover, haar hoed wierp schaduw tot over haar onderlip, haar gepoederde kin met de zweetdruppels ging op en neer en ze zei: 'Ik ben je vriend, Edward. Je vriendin. Niet een chauffeur aan wie je ineens kan schreeuwen dat...'

'Ik heb niet geschreeuwd,' zei hij.

Zij steunde op het tafeltje met haar gelijke, lange vingers waaraan de ringen van haar man, de Kortrijkse textielfabrikant, zaten. Een topaas en een agaat. De gouden armband met de slangen die zich omhelsden, kwam uit Genua.

'...waaraan je zo maar ineens kan toeschreeuwen: "Stop, ik stap hier uit. Rij maar door, chauffeur".'

Zij lachte kort. 'Nu kan je zeggen dat ik de laatste twee maanden in Italië ook werkelijk je chauffeur ben geweest. Inderdaad. En je kamermeid. En je moeder.' Zij hapte met een droog geluid naar lucht en zakte terug in de rietzetel. Zij was vijfendertig. Hoewel dit niet na te gaan was. Haar oudste kind (zij had er drie) was dertien, zei zij. Maar Edward kende de kinderen niet en zij had geen foto's willen meenemen op reis. Ook haar paspoort had zij nooit laten zien.

'Wij hebben een mooie vakantie gehad,' zei zij. 'Vooral Venetië was mooi.' Zij had haar koffers makkelijk volgekregen, oorbellen in Sienna, jurken in Turijn en Rome, het boek met de fresco's uit Pompeï (iemand had de foto's bijgewerkt, de naakte mannen en vrouwen hadden filmische gezichten gekregen, starre houdingen als op oude modeplaten, zodat zij erotischer werden dan de vage originele figuren, vreemder, uit de toon, komischer), laag uitgesneden schoenen, vier paar in Florence, drie paar in Rome.

'Waaraan denk je? Waarom lach je mij uit?' Zij moest hem onderzoekend aankijken nu, achter de berookte glazen, haar toegespitste blik als van een verraste kip of van een onderwijzeres die zoekt wie de prop gegooid heeft.

'Ik lach je niet uit.'

'Tot nog toe waren wij goede vrienden,' zei zij. 'En misverstanden waren vlug opgehelderd tussen ons. Maar ik heb mij vergist, ik dacht dat je anders was. Het is altijd zo met mij. Hoe men mij ook verwittigt op voorhand, ik luister nooit, ik hecht mij aan iemand... Het komt voor bij vrouwen zoals ik. Wat kan je er aan doen? Men kan zichzelf niet veranderen.' Zij snikte, haar vingers bewogen achter de bril. 'Hoe kan je het doen?' riep zij. 'Als tegen een chauffeur zeggen, midden op de weg: "Stop, ik ga hier uit!" Hoe kan het?'

Er zaten vliegen op het weggestroomde ijs en in zijn lege beker, de zon was over de parasol geschoven zodat zij in het licht zat, maar zij merkte het niet. 'Had je het dan al voorbereid? Hoe lang dacht je er al aan? Dat mag je mij wel zeggen, vind je niet? Wanneer begon het? In Genua? In Rome?' Haar stem verloor haar hoogte. 'Edward, ik wil niet alleen naar huis terug. Denk het over. Goed, je hebt besloten dat je mij alleen naar België zou laten teruggaan, goed, maar denk het over. In de auto. En beslis opnieuw in Nice. Of vroeger nog, aan de grens. Wij kunnen in Ventimiglia logeren. En weeg het voor en het tegen. Wat denk je er van? Oh, ik wil niet terug naar die verwende kindse man daar in Kortrijk. Waar hij wacht als een spin in de hoek. Wat moet ik doen? Denk het over. Toe.'

Zij zweette in de zon en zij had haar poederlaag weggewreven, zodat haar naakte, rode huid in strepen zichtbaar was. Ongemakkelijk verschoof zij in haar zetel. Haar dijen moesten klam zijn. 'Denk er over na, terwijl wij rijden. Wij kunnen hier toch niet blijven. Anders geraken wij nooit in Ventimiglia vanavond.'

'Dit dorp doet mij aan Alken denken,' zei hij en keek de witte, stoffige weg af, die tussen de rotsen in een zwart ovaal gat verdween. 'Het is een dorp in Limburg, waar mijn grootvader woonde. Op een namiddag zat ik langs de steenweg, net als nu, en toen vloog er een auto in brand. Zo maar. Vlak voor mijn ogen.'

De brede steenweg was dezelfde, alleen had deze weg palmen aan de kant. In Alken waren er jonge berken langs het rijwielpad. Het licht was even helder en hard. Van heel ver kwam de blauwe Fiat aangereden, traag in een namiddag in augustus, en Edward, in het veld bij de steenweg, zag hoe achter in de auto een vlam opsloeg, dun en wit en zonder rook. De Fiat naderde en de vlam werd groter, nam het hele dak in beslag. Op Edwards hoogte gekomen werd de vlam oranje en mengde zich met gekrulde, zwarte rook en sloeg uit het raam. Toen stopte de auto en een man sprong eruit en trok zijn vriend met de schouders naar buiten, terwijl de deur brandde. Zij vielen beiden naast de auto neer, die ritselde en beefde in de zwarte walmen. De eerste man kwam op zijn knieën recht en trok zijn vriend weg, die onbeweeglijk bleef. Het duurde wel een kwartier voor hij hem drie meter verder kreeg en dat Edward in het dichtbije veld te staren stond. Boeren kwamen toen aangerend en gooiden aarde op de motor. Later hoorde hij dat er achter in de auto films waren opgestapeld, die vlam hadden gevat.

Zij beëindigde een zin die uren geleden begonnen was in omwegen, verdoken buigingen en bedoelingen. 'Dat je in Venetië gelukkig bent geweest, mag je nu niet ontkennen. Je hebt het zelf bekend.'

Bekend, dacht hij, alsof het een onnoembare schanddaad betrof, in het geheim volbracht en onder leugens verstikt, iets heel teers en weerzinwekkends, dat men alleen in een vergeten, ver-

zwakt ogenblik aan de geliefde of 'de vriend' toe-
vertrouwde.

'Je zal geen enkele vrouw vinden die je begrijpt
zoals ik.'

'Eet je ijs. Het smelt,' zei hij.

Haar lichaam was mooi en rijp, zij verzorgde het,
deed elke dag oefeningen; het wellustig lichaam
was ontbloeid aan de voorkomende warmte van
tientallen minnaars, oude en jonge, bedrevene en
tedere. Nu zat het overhit en gekneld en verraadde
haar.

'Kom mee, Edward,' fluisterde zij.

De jongeman, alsof hij tot dan toe geslapen had
of uitgerust, stond op en riep de kelner. Hij betaalde en liep naar de steenweg, terwijl zij dicht op hem
volgde. Zij botste tegen hem op toen hij plots bleef
staan. Achter de huisblokken lag de hoorbare zee.

'Luister, Carla,' zei hij tegen haar gezicht.

'Wij gaan nog even rondrijden,' zei zij haastig en
voelde aan haar hoed, duwde er zachtjes aan. 'Een
paar kilometer in onze auto ('onze' had zij nooit
eerder gezegd) langs de zee. En dan breng ik je hier
terug, ik beloof het je.'

'Neen.'

'Toe.' Zij nam zijn arm, kneedde. 'Ik kan niet alleen terug.' Hij nam haar zonnebril weg. Haar ogen waren bloeddoorlopen, de randen waren zwart en grijsgevlekt, zij huilde en knipperde met de ogen. Zij likte een traan, een grijs lijntje langs haar neusvleugel, weg en glimlachte met de top van haar tong tussen haar lippen en zij greep Edward met beide handen vast.

'Je deed het om mij te plagen, o, ik wist het wel,' riep zij, 'o, hoe ben ik er weer in gelopen.'

Hij maakte haar handen los en draaide er haar zonnebril in. Zij zette hem op en samen liepen zij in de vertrouwde, vertraagde pas (zij had haar blauwe jurk aan, die te nauw was) naar de auto, een wijnrode, open wagen. Hij hielp haar instappen.

'Ik ga hard gillen.'

'Neen,' zei hij tam.

'Wacht.'

Zij reikte haar gezicht naar hem toe, en hij kuste haar zoute wang. Haar gezicht schokte, los en onafhankelijk van haar hals, die rechtop bleef en in haar decolleté openvloeide.

'Ik wist dat het er van komen zou. Maar niet zo gauw. Niet zo gauw.'

'Wij hadden het toch afgesproken.'

'En vanmorgen nog... in Genua...' schreeuwde zij.

'Ik wist het nog niet vanmorgen.'

'Maar waarom toch? Waarom toch?' huilde zij. Haar hand op het stuurwiel dwaalde weg en raakte de toeter, die een snijdende gil gaf. Zij schrokken allebei en rust trad in. Zij snoof en wreef met haar zakdoek haar gezicht schoon.

'Carla.'

Zij herkende de toon, gaf er aan toe; haar beringde hand schoof in haar tas en zij reikte hem een dun pakje van briefjes van tienduizend aan. 'Luister, vanmorgen vroeg, in Genua, zeg het mij eerlijk, wist je toen al dat je mij alleen naar huis zou laten gaan?'

'Neen. Het is zo opgekomen, langs de weg, in de auto.'

Zij nam zijn hand die de briefjes omklemde, draaide die om, kuste de handpalm, wreef er haar neus en haar geplette lippen in. Toen was zij weg, iets roepende dat hij boven de aanslaande en grommende motor niet meer horen kon, iets dat definitief had moeten zijn waarschijnlijk, iets heel wreeds of ongewoon zachts. Hij zwaaide naar de wagen waarboven haar hoed als een lichte schietschijf zat en dacht: Zij wil dat ik haar nog toezwaai en zij weet niet dat haar kus aldus vroeger opdroogt in mijn handpalm. Glimlachend wendde hij zich naar het dorp dat tussen de rotsen, de heuvels en de onzichtbare zee geklemd zat. De huizen waren gekalkte blokken rond drie torens in puin.

Aan het terras van een modern café dat op de zee uitgaf – het water lag roerloos met paarse olievlekken – bestelde hij koffie. De vloer van het café liep in de dijk over, een veld mozaïek. 'De gekartelde steentjes worden voorzichtig in cirkels in de gloeiende teer geduwd. De vloerleggers stappen dan af en toe achteruit en keuren hun werk door de spleetjes van hun ogen, zoals de oude portretschilders. Dan, ineens, vervlugd, plaatsen zij een koolzwart steentje in de bleke vlakken. Als een moedervlek in een gezicht.'

Er zaten bruinverbrande mannen in visserskleren rond een grijsaard met een baard, die knikte als een priester. Zij praatten over hem maar hij kon niet horen wat zij zeiden, want binnen in het café klonk een krakend en schel Napolitaans lied door de radio. Neen, het was een fonoplaat. De vaag omlijnde ruimte tussen de struiken was waarschijnlijk een dansvloer, er was een houten podium. Toen sliep hij in.

Het dorp heette Perenna, er waren geen toeristen

en voor een kamer kon hij het best terecht bij signora Leccini, zei de kelner. Hij wees het huis aan, het grootste dak van het dorp was het, een zwarte koepel tussen palmen. 'Vlak bij het water,' zei de kelner. 'Zij is een Russische en de kamers zijn heel net. Ook de dienstmeisjes zijn net. Een ervan, Franca, is de dochter van Livio daar.'

Een visser knikte lachend. 'Americano?' Hij stak twee gespreide vingers in de lucht.

'Neen.' Edwards tong was kleverig en bitter van de slaap.

'Mooie kamers,' zei de visser Livio, 'alles is zeer verzorgd, net zoals bij u thuis in Amerika.'

Hij lachte onwennig en uitnodigend naar een der laatste vreemde vogels uit de grote vlucht die jaarlijks, in vreemde talen, in vreemde kleren over hun stranden streek.

'Ik ben een Belg,' zei Edward.

'Er komen veel Belgen in het seizoen. Veel Duitsers ook, maar meer in Finale Ligure of in Alassio.'

'Zoveel te beter.'

'Mijn neef is fotograaf,' zei Livio, 'hij woont vlak bij signora Leccini. Als je soms foto's wil.'

Uit een der grote bergen die het dorp beheersten met biljartgroene koppen en heuvels met wijngaarden en weiden, kwam een trein gereden, een lange, aan regelmatige stukjes gehakte worm die zich van de rotswand losmaakte en er weer in gleed.

In de koele, grijze hal van mevrouw Leccini's huis zei het dienstmeisje, dat mevrouw hem meteen ontvangen zou. Haar wijde, ongeverfde mond lachte verlegen.

'Va bene, Franca.'

'Ik ben Franca niet. Franca maakt de bedden op.' Zij bloosde, schikte haar piekhaar, verdween.

Een oude vrouw kwam de trappen af, zonder hulp van haar wandelstok die zij voor zich uit hield als de nutteloze, hinderlijke stok van een gewezen blinde. Hij sprak zorgvuldig zijn naam uit en drukte haar koele, benige hand. Haar gezicht, dat vroeger zeer mooi was geweest, leek een zachte maar gespannen bundel kerven nu. Zij boog niet voorover.

'U lijkt op mijn neefje Riccardo,' zei zij en ging vóór in een salon met ovale ramen in gekleurde ruitjes, zat toen als een opperhoofd tussen haar relikwieën, oude portretten met haarlokken achter glas, het bronzen beeld van een generaal met snorren, glazen en porseleinen. Officieren, toen glanzend en heftig, hadden voor haar zelfmoord gepleegd in het besneeuwde vaderland, in de onherroepelijk vergane winters, wankelend voor haar harde glimlach, haar donkerbruine, gevaarlijke blik, die nu nog leefde, verscholen, niet gedoofd.

Hij kon het tuinhuis krijgen, dat lag afzonderlijk en was zeer geschikt voor iemand die rust nodig had. ('Ik heb examens achter de rug, die mij uitgeput hebben,' had hij verteld en zij had hem geloofd. Hij had de goede toonhoogte gevonden.) Sleutels waren er niet; die zou zij morgen laten maken.

Rechtop en ernstig, als op wandel met giechelende, onopgevoede hofdames in het prieel van de kroonprins, liet zij hem de kamers zien, die vochtige, afschilferende muren hadden, en zeker spinnen in de barsten verborgen. De badkamer, stoffig en vervallen, gaf uit op de tuin. Achter de tuin – en dit was de verrassing, het licht en het hevig geruis – zag hij het strand, geweldige vlakte die korrelig te schitteren lag. In de zee speelden jonge, schreeuwende vrouwen met een bloedrode gummibal.

'Bevalt het u?' vroeg de oude vrouw. Hij knikte sprakeloos.

Alleen in de bezonde kamer kleedde hij zich uit

en kroop in het vers opgemaakte bed. De veren piepten. Tussen de aangetaste, vieze muren stond een ovaal schrijftafeltje met gedraaide, glimmende poten als zeer dunne, zeer gelijke vrouwenbenen. De lakens geurden naar stijfsel. Ik heb in geen maanden geslapen, dacht hij. Een ingehouden, schrille roep bereikte hem nog. Een uil in de kamer? Overdag niet. Neen. Een kleine jongen of een vrouw aan het strand was het. En Carla was er niet. Hij was moe. Glimlachend spreidde hij armen en benen open in het witte, droge, brede veld van het bed.

2

In de naar bruine zeep en kaas ruikende winkel vroeg Edward welke toren het was die bij de ingang van Perenna stond, als een uitkijkpost, een wig in de zee gedreven.

'Vroeger heersten hier de Sarrazenen, signor Edoardo,' vertelde de kruidenier, 'en zij schijnen hier wel een goede tijd te hebben gehad. In ieder geval hebben zij torens gebouwd die tegen een onweertje bestand zijn. En niet alleen in Perenna, signor Edoardo, maar over de hele Riviera.'

'Tot in Spanje,' zei de Ingegnere, een steeds onbesmettelijk in het lichtgrijs geklede oude man, die met roodomrande, begerige ogen naar Lucia, de jongste dochter van de kruidenier, lonkte.

'Si, Ingegnere, certo,' zei de kruidenier en scheen toen toe te geven aan de onduidelijke maar dringende bede van de lichtgrijze man; hij knipoogde naar Edward en sleepte toen kratten tomaten naar buiten. Tot ver achter in de tuin. De Ingegnere boog zich, zijn vingers in de witte katoenen handschoen knepen zonder aarzelen of tasten in Lucia's borst. Zij schudde haar vriendelijk gezicht naar Edward, maar de lichtgrijze riep. 'Maar il signor Edoardo kan tegen een grapje, hoor!'

'Ik ben dol op grapjes,' zei Edward.

'Anna!' gilde het meisje en haar zuster kwam de rekening voor Edward opmaken, noemde hardop, terwijl zij opschreef, de ingrediënten en de prijzen.

'Pas op, Ingegnere, niet zo hard,' zei Lucia. De Ingegnere keek met Edward mee de tuin in, waar de kruidenier de kratten opstapelde, en siste opgewonden: 'Groene vruchten zijn deze maagden, signor Edoardo.' Lucia giechelde.

De winkel was altijd verlaten op dit uur, de mensen van Perenna sliepen na het middagmaal en meestal was ook de kruidenier al naar bed. Het was stil. Alleen het regelmatig geruis van de ventilator en de automatische waaier met de papieren linten boven het vlees en de taartjes waren hoorbaar naast de zeurende stem van Anna: 'Peperoni, cinquantacinque, zucchini, sessanta.' De Ingegnere gleed in een onschuldige, soepele beweging achter de toonbank. 'Ciao,' zei Edward tegen de meisjes en 'A riverderla' tegen de oude, zuchtende man.

20

De intrede van de Ingegnere gebeurde altijd rond dit uur, bijna elke dag, en elke keer verdween de vader in de keuken of in de tuin onder het geluidloos bevel, de dwang van de belager in het lichtgrijze pak met de slobkousen.

Edward, sedert tien dagen nu, lag uren aan het strand. Hij dacht aan niets, de zon brandde. Eerst waren er beelden geweest die zich mengden en waaraan hij zich vastgeklampt had: Carla die haar bustehouder zeer vlug losknoopte en in de kamer gooide en naar hem floot als een matroos naar een jong meisje; zijn vader, de dode dokter Juliaan Herst, die achterover lag zodat men (de broers van zijn vader, de huishoudster en haar zoon, enkele vage klanten en hij zelf) in zijn neusgaten kon zien; de kaarskleur van zijn vaders vel en de schaduw rond zijn oogholten alsof men hem niet goed gewassen had; het huis in België dat de buren meden vroeger, want elke nacht en elke dag ging er op niet te voorziene tijden een schor geroep uit de eerste verdieping op en de buren wisten wat het was; de stallen waar veel vroeger de sjees van zijn vader geborgen stond; de tuin die niemand meer onderhield. Er waren blauwe en diepzwarte vlekken in de tuin en achter Edwards ogen. Hij lag te lang in de zon. Stond op, deed zijn gummibril om en dook in het lauwe water, in het vloeiend bewegend rijk, tussen zwenkende scholen doorzichtige visjes. Tussen de grotten bereikte hij de waaiende velden zeewier en hield zich aan hun lederen riemen vast. Zijn slapen gonsden en zijn borstkas werd rekbaar en ingedrukt, pijnlijk scherp, tot onzichtbare en niet te voelen vingers zijn mond openrukten en met een bal zout water vulden. Hij begaf en liet zich hangen, steeg door waterlagen waarin het licht gefilterd en steeds witter werd, tot de oppervlakte openspatte in spiegels die versplinterden in schuim. Verblind dreef hij op zijn rug, het water in zijn oren.

De lucht was heftig, hij zat dagen aan het water. Kinderen uit het nabije klooster speelden rond hem en in het zand zaten vier lachende nonnen die hen bewaakten. Een van de kinderen, een mongoloïde, cirkelde steeds rond Edward en deed, met zijn mond naar voor geperst, met uitzinnige ogen en beide vuisten als bumpers gestrekt, een trein na en gilde. Huuhuuhuu. De andere kinderen gooiden keien naar hem of schopten hem, maar hij reed onverstoorbaar, onbereikbaar verder. 'Hoe heet hij?' vroeg hij eens en liet zich naast Edward vallen, de locomotief reed zachtjes nog, de beschuimde lippen prevelden de vederzachte gang over rails en in tunnels na. De nonnen hadden zijn haar heel kort geknipt zodat zijn geblutste schedel nog duidelijker merkbaar was.

'Wie hij?'

'Hij.' Hij wees naar Edwards borst.

'Ik?'

'Ja, hij.' De jongen legde zijn vuile hand op Edwards sleutelbeen.

'Hoe heet hij?' vroeg Edward en raakte het sterk dierenlichaampje.

'Mario.'

'Ik heet Napoleone.' De jongen vergat de locomotief en proefde de naam, wentelde hem in zijn mond, zei hem drie, vier keer en schreeuwde het uit: 'Napoleone!' Hij stoof verder en wierp zand op rond zijn bruine, kromme benen en liep naar de nonnen. 'Napoleone, Napoleone.'

Soms kwam de Ingegnere op de dijk voorbijgewandeld en tikte groetend met zijn wandelstok tegen zijn strohoed. Of de postbode kwam naast Edward zitten en sprak over de corruptie in de administratie. 'Allemaal de schuld van de roden.'

'Natuurlijk,' zei Edward.

'Maar evengoed van de demochristiani.'

'Die zijn ook niet veel waard.'

'Geen van allen deugt,' zei de postbode.

Edward blikte hem in de ogen. 'Soms, Postino, zou ik jou echt eens aan het hoofd van dit land willen zien.'

'Wij zouden er iets moois van maken,' droomde de postbode en snoof. 'En wat zouden wij niet afdrinken! Jongens, jongens, wat zouden wij drinken!' Hij was kort en amechtig, hij had het zeer moeilijk met zijn fiets boven op de heuvels van Perenna.

'Zijn benen zijn te kort en zijn hoofd is te zwaar,' verklaarde mevrouw Leccini. Elke avond nodigde zij Edward uit om een glas wijn te drinken, en zij besprak dan de feiten van de dag, die onmerkbaar afdwaalden in de niet te stelpen oprisping van haar herinneringen. 'En wat een stem heeft die Postino! Als hij een reclame of een drukwerkje moet bestellen, schreeuwt hij het hele huis, de hele wijk bij elkaar tot Franca of Maria naar beneden komt. Want naar boven, tot bij mijn kamers komen doet hij niet. Neen, daar is het proletariaat tegenwoordig te goed voor. Ah, ik had hem bij mijn moeder in Sint Petersburg willen meemaken. Zij had hem geslagen! – Nu, hij is een lieve man. Als ik op vakantie ga bij mijn broer in Florence, stuurt hij mij altijd de brieven na met een woordje op de enveloppe: Vriendelijke, of Hartelijke groeten van Rico Crippa, uw Postino. Is dit niet lief, signor Edoardo?' – en zonder af te wachten, zonder adem te halen, vingerend aan de halsboord van haar kleed: 'Zijn vrouw is ziekelijk, daar ga je ook van schreeuwen. Ik weet het, want mijn man had suiker. Zieken zijn lastig en kan men elke dag een Madonna-gezicht trekken? Zijn vrouw heeft het aan het hart. Er hangt ook altijd een plakkaat voor de deur, is het niet zo? "Kast te koop" of "Kinderwagen, Ongebruikte tafel te koop." Wat mijn man had, evenwel, was erger...'

Edward luisterde niet, hij zat er en hij was er niet, hij luisterde naar de honderden kinkhoorns buiten en naar de andere, de zachtere stem met een slis die door mevrouw Leccini's stem drong, want zij was rauwer, korter, heviger. 'Hij had suiker,' zei mevrouw Leccini.

Edwards moeder had kanker gehad en de buren zagen haar nooit, de moeder met de lispelstem, die ook voor Edwards vader en de huishoudster een onbekende bleef, een hinderlijke onbekende die zij het liefst meden.

'Hij was een bruggenbouwer en overal volgde ik hem, zoals het de vrouw betaamt. Novgorod, Boekarest, Londen.' Mevrouw Leccini schonk een nieuw glas in. 'Soms vraag ik mij toch af, signor Edoardo, hoe gij het hier kunt uithouden, een jonge man van uw leeftijd in dit gat van Perenna. Wij zien u nooit met iemand omgaan. Gij weet het nu nog niet, signor Edoardo, gij zijt nog te jong, maar luister naar mij: maak vrienden terwijl gij jong zijt, maak u veel vrienden. Er zullen er heel wat wegvallen, maar als gij er veel hebt, zult gij er enkelen behouden, en het zal u niet overkomen zoals mij hier, dat gij alleen in uw salon zit, zonder een hond of een kat om tegen te spreken...' en zo ging het door en het gemurmel bleef hoog aangezet hangen in de kamer tussen de haarlokken en de portretten – het geklaag van een oude vrouw die met haar eenzaamheid koketteerde op de meest opdringerige manier. Want met iedereen had zij het er over hoe eenzaam zij wel was, met de vissers, de postbode, de pastoor, de slager, niemand ontkwam er aan, iedereen luisterde verplicht.

Edwards moeder had ook geklaagd. Dagen en nachten lang. Zij was moeilijk gestorven, zij had er jaren over gedaan en al die jaren had zij vanuit haar gesloten kamer, in de lucht van urine en medicijnen, de morsesignalen, de verhakkelde zangen van de pijn over het huis uitgezonden. Een harde, snijdende stem was het, als van een nijdige, oude man die huilde, en het duurde, duurde. Soms hield zij Edwards hand vast en begeleidde die over haar zwetend gezicht en zei met een lage, kinderlijke slis: 'Ik zal je alleen laten. Maar nu nog niet.' Of: 'Misschien gebeurt het heel gauw, ik wilde zo graag dat het gauw gebeurde.' – 'Wie zal voor je zorgen? Zal je je wassen elke morgen?' En als een schaar door papier, een droge reutel: 'Wacht tot je ouder bent, lieverdje, wacht tot je hem niet meer nodig hebt, lieverdje, en laat hem dan vallen als een steen'. En: 'Edward, als ik er niet meer ben en je je beroep gekozen hebt (Zij dacht aan hem als aan een twaalfjarige. Drie maanden voor haar dood, en hij was toen twintig, had zij gegild: 'Ik zal hem dwingen jou die meccano te kopen'), wel dan, kijk dan niet meer naar hem om. Schop hem de deur uit als je kan. Alsjeblieft, Edward.'

Edwards vader was een dokter en stond in goed aanzien in de stad. Hij floot als hij zijn vrouws kamer voorbijkwam en stampte hard op de houten trappen. Wanneer zij ontlast moest worden 's nachts of om water vroeg of een injectie en huilde als een oude gekwelde man, bleef hij slapen. Overdag stuurde hij er de huishoudster heen, die 's nachts niet wilde blijven.

Op een namiddag beklom Edward de Sarrazenenheuvel, de piek die ver over het strand de lucht in stak. Een pad leidde in steeds nauwere cirkels naar de top waar de toren der Sarrazenen stond. De stenen van het pad waren ver uit elkaar gespreid zodat hij af en toe springen moest. Ook zaten zij gevaarlijk los en dichtbij de scherpe rotsrand. Zwetend bereikte hij de top, de onronde puinhoop. Het waaide er en hijgend zat hij op het muurtje dat regelmatige uitkijkgaten had en beschreven was met namen, harten, hamers en sikkels, 'Duce a noi,' en hakenkruisen. Beneden hem, langs de zandkorst met de branding, lag Perenna als een schelp waarvan de buitenrand de heuvelkam was met de ravijnen. De roze en okeren daken met de gleuven van de zandige wegen waren het hart van de schelp.

De boten lagen roerloos en de rotsen leken losgeraakte keien van de grote bergwand. Edward leunde over het muurtje en keek de zee in, de beweeglijke vlakte. Er was geen einde in zicht, dit laagland ging in de lucht over als een gelijke, grijze schaduw.

Vlak bij zijn gezicht vlotte de beklemmende, vertrouwde geur en de kinderlijke stem met het slisje ging op, en zelfs de vochtige, warme geur van de stem was er. 'Edward, mijn lieverdje.' Verder geraakte de stem niet. Hardnekkig begon Edward te tellen, te vermenigvuldigen. 'Vierentwintig maal vierentwintig is vijfhonderd, is vijfhonderd zesenzeventig.' De cijfers ebden weg in een mist. Hij zat er lang, hagedissen liepen langs zijn dij, de zon schoof verder en het zweet in zijn nek werd ijskoud. Hij was onophoudelijk bang, onophoudelijk klemde hij zich aan de rand van de muur vast zodat de getande steen in zijn handpalm drong. Toen week het. Hij probeerde te fluiten. Zong schor. Kwam van het muurtje los, bedwong zijn pijnlijke, trillende hand. Dorst opnieuw het zeevlak aan te kijken.

'Ik heb hoogtevrees,' zei hij hardop.

De terugweg was moeilijk en hij kon zijn lichaam niet stilhouden, twee keer bleef hij op een platte steen midden op het pad zitten tot hij bedaarde. Toen hij terug in het dorp kwam, was het donker geworden. De avond gleed over als een wolk en hij lag op zijn buik in het zand. Lichten op zee naderden. De dorpsgeluiden verstilden en na een tijdje klonk de herdersroep, ingehouden en gerekt, van de vissers die naar inktvissen zochten. Een zware lamp in een buis schoof haar licht in het water als een mes dat smolt. De visser stond opgericht en sterk en stootte toe. De boten huilden naar mekaar in de dikke avond. 'Ciao,' zei iemand. Het dienstmeisje Maria zat naast hem neer. Hij gaf haar een sigaret. 'Zoekt je vader ook naar inktvissen?'

'Ja,' zei zij, 'maar niet hier. Hij woont in Varigotti.'

'Waar is Moretti?' Hij was de tuinman met wie zij verloofd was, een halfdove, norse man.

'Bij mevrouw. Hij vermaakt het elektrisch licht. Hij denkt dat er een loodje doorgebrand is.'

'Moretti is handig. Hij vindt het wel.'

Zij lachte minachtend en viel op haar elleboog, dichtbij. Het rode lichtje van haar sigaret ging op en neer alsof zij langzaam knikte; toen merkte hij dat zij in haar nek krabde onder het dikke, zwarte haar.

'Hij is oud voor zijn tijd, Moretti. En ik ben jong. Veel te jong voor hem. Iedereen in het dorp zegt het. Wat denk jij daarvan?'

'Het kan mij niet schelen.'

'Ik weet het. Maar zeg toch iets. Om het even wat. Zeg er eens iets van.'

'Hoe oud ben je?'

'Vierentwintig. En hij is zesendertig. Maar er is niets aan te doen. Mijn vader hangt van mevrouw af en zij wil het. Wat kan ik er aan verhelpen?'

'Je kan hem bedriegen.'

'Maar daarvoor moet ik toch eerst getrouwd zijn. Of niet?' Zij hief haar knie om haar schoen uit te doen en er het zand uit te strooien.

'Wat kom je hier doen, in Perenna?' vroeg zij hees. Een lange tijd nadien – de boten met hun jankende bewoners waren afgedreven naar de nabije haven – zei zij. 'Mevrouw zegt dat je hier bent om uit te rusten. Maar zij gelooft het niet. Moretti zegt dat er iets loens achter zit. Waarom? Wat heb je gedaan?'

Haar hand wandelde over zijn rug en haakte in de boord van zijn trui met onscherpe nagels, het meisje gleed zijdelings tegen hem aan.

'Zij zullen ons nooit zien,' fluisterde zij in zijn nek. 'Mevrouw noch Moretti kan ons zien, ik heb een karton tussen een der lampen gestoken.'

'Ga weg,' zei hij, maar zo zacht dat hij het zelf niet hoorde. Haar hand over zijn knie ging hoger, en bleef er rusten, en werd beweeglijk toen ineens. Hij greep haar haar vast en trok haar achterover, met de andere hand duwde hij in haar heup. Zij kroop recht en zat twee meter verder op haar knieën.

'Waarom niet, signor Edoa, waarom niet? Ben ik niet mooi genoeg?'

'Je bent de dienstmeid,' zei hij. Zij liep weg, een vluchtig geritsel in het zand. Hij gooide keitjes in het water. Polpi-vissers dreven weer aan, hun zoeklichten trokken gele strepen in het water.

Op het terras van de Tivoli-bar zat de oude visser Nonno en groette Edward niet. Pas toen zij een tijdje zwijgend naast elkaar zaten, zei de oude: 'Signor Edoardo, mijn zoon zegt dat hij u indertijd in Bremerhaven heeft gezien, waar hij krijgsgevangen was.'

'Dat kan niet.'

'En hij is nog bij u aan huis geweest, samen met zijn vriend Giulio. U had vrouw en kinderen en u was in uniform. In het Duitse uniform.'

'Neen.'

'Manlio heeft het gezegd. Hij heeft u herkend.'

'Spreek niet tegen,' fluisterde Riccardo, de kelner. Nonno was dronken, een onbeweeglijke, kalkstenen, baardige man, die murmelde: 'Met een Duitse helm op.'

'Wordt het goed weer morgen, Nonno?' vroeg de kelner sussend.

Nonno voorspelde het goede of het slechte weder. Hij wist of er een goede visvangst op komst was, of de vrouwen een jongen, een meisje of een tweeling zouden baren, hij gaf namen aan de kinderen en recepten voor de vissoep. De dorpelingen vereerden hem. Zij vroegen: 'Nonno, welke prijs zullen de druiven halen op de markt te Lotorne?'

Nonno spuwde naast zijn zandige voeten dan, en keek langs de vrager heen de bergen in. 'Als zij rond en groen zijn, weinig; als zij lang en geel zijn, veel.' En de dorpelingen in een cirkel knikten en zetten zijn dagelijkse tweeliterfles naast hem neer.

Hij was ijdel. Elke zondagnamiddag ging hij naar Lotorne, waar de dijk zwart zag van de wandelaars, en ging op een bank zitten vlak bij een winkel waar men ansichtkaarten verkocht. Er waren er bij waar hij op afgebeeld stond, een getaand, doorkerfd kastanjekleurig gezicht met een witte baard, in profiel of in driekwart tegen een fond van vissersnetten of rotsen. Hij zat op zijn bank, in zijn linnen broek en zijn blauwe trui waarop hij de visschilfers liet zitten, en keek onverschillig naar de gapende wandelaars. Hij droeg altijd vijf, zes ansichtkaarten met zijn portret bij zich, ook als hij in zee ging. Hij verkocht ze duurder dan de winkels aan de toeristen, zette zorgvuldig zijn handtekening op de keerzijde en eiste dan drinkgeld.

'Het weer wordt goed,' zei Nonno, 'iets te droog. Maar dat kan mij niet schelen. Zelfs al regent het, ik word vanaf morgen toch elke dag door de Italiaanse film betaald.' Hij vestigde zijn verbleekte ogen op de jongeman naast hem. Het blauw van zijn pupillen was heel licht.

'Je vrienden zijn aangekomen. Je mag blij zijn.'

'Ik heb geen vrienden,' zei Edward.

'Toe, toe,' suste de kelner.

'Ah, je hebt het netjes voorbereid, signor Edoardo, je mag trots zijn op jezelf. Maar denk niet dat wij hier in het dorp niet op de hoogte waren dat je tot de filmcompagnie behoorde. Denk je dat vissers, omdat zij vissers zijn, niets van de gang van de wereld afweten?'

Nonno trok een ernstig gezicht, zoals toen Edward hem voor het eerst had gezien midden zijn vrienden als een knikkende priester. 'Signor Edoardo, je hebt je werk goed gedaan. Bravo. Maar, God weet het, het is een gemene streek.'

'Welk werk?'

'Dit spionnenwerk. Kijken wie in het dorp aan de film zou kunnen meewerken en wie niet. En dit uitzoeken langs de heilige weg van de vriendschap om. Want was het niet daarom dat wij hier zo vaak de wijn der vriendschap hebben gedronken samen?'

'Natuurlijk niet!'

'De directeur van de film in Lotorne is een ernstig man. 'Commendatore' zei hij, – let wel op, Riccardo: Commendatore – 'wij hebben de eer u uit te nodigen om uwe medewerking te verlenen aan onze films. Wij hebben informaties ingewonnen – informaties, signor Edoardo! – en wij denken dat u ten zeerste daaraan zal voldoen.'

'Nu en dan?'

'Wie kent de filmmensen? Iemand uit het dorp hier? Niemand uit het dorp kent filmmensen. Wie heeft informaties gegeven? Wie is hier met een filmster in een dure Amerikaanse auto aangekomen? Iemand uit het dorp? Neen, signor Edoardo! En dit, ik vraag het je nederig, wie kent Nonno, die de sterkste visser van Perenna is geweest en die alles van fotografie en van het poseren voor fotografie afweet? Wie? Je kan niet anders dan bekennen, signor Edoardo.'

'Goed dan. Wel gefeliciteerd met je film. Als je absoluut wil dat ik het beken.'

'Hij volhardt. Riccardo, hoor je dat?'

'Geef ons een liter, Riccardo.'

Nonno werd op slag kalmer. 'Deze zaak zullen wij, deze liter drinkende, begraven. Maar God weet het, ik heb alleen dit filmbaantje aangenomen omdat ik een nieuwe grafsteen wil plaatsen op het graf van Lucca. Ik doe het voor mijn dood kind Lucca, maar tegen mijn zin doe ik het, signor Edoardo.'

'Ik wist er helemaal niets van af, Nonno, van je film.'

Wanneer Nonno over zijn verdronken zoon Lucca begon, lalde hij uren, het was beter zijn woede uit te lokken.

'Hahahaha! Het hele dorp weet het en il signore Edoardo, die niets anders te doen heeft dan godse dagen in het zand te liggen en naar de lasterpraatjes van la signora Leccini te luisteren, weet nergens van. Signor Edoardo, vriendschap wordt niet betaald! Nu, ik ga al naar Lotorne, en Perenna zal het zonder mij moeten stellen. Wij zullen eens zien hoe ze het er van af zullen brengen, zonder iemand met hersenen in zijn hoofd.'

'Verdien je veel?' vroeg Edward.

'Alsof je het niet wist!'

'Maar welke film is het toch?'

'Mensen uit de stad' (van waar zij ook konden komen, uit Parijs, Borneo of uit het nabije Piemonte, Nonno noemde vreemdelingen: mensen uit de stad. De stad veronderstelde het wijd, landelijk veld dat hij niet kende, niet onderverdelen kon in baaien, kreken, landtongen en waar hij schoorvoetend, verlegen en trots en koppig in verloren liep), 'denken dat zij een visser kunnen uitbuiten. Wie laatst lacht, lacht best. – En niet alleen het geheime van uw manieren, signor Edoardo, doet mij walgen maar dat gij geen fijn oog hebt, vind ik ook jammer. Dat gij iemand die alles van fotografie afweet, niet kunt onderscheiden van een waterhoofd uit het leger, dat zijn hele leven geen geweer heeft vastgehouden en gepensioneerd werd, twintig jaar te vroeg, omdat hij astma had!'

'Wat!' riep Edward. 'Speelt de sergeant-majoor ook in de film?'

Nonno pufte en siste in zijn baard. Zij dronken nog een liter. De sergeant-majoor was een streng rechtop lopend mannetje, dat zijn regenscherm als een geweer op de schouder droeg. Hij was Nonno's doodsvijand, niemand wist waarom.

'Maar wat spelen jullie dan? Welke rol?'

Nonno keek verbaasd voor zover zijn waardigheid het toeliet, kneep één oog halfdicht, beloerde de jongeman uit de stad, de verrader. 'Maar onszelf natuurlijk.' En hij trad onbeschaamd verder in de leugen. 'Ik heb toch al meer in films gespeeld.'

'Hoe heet die film dan?'

'Weet je het dan niet?'

'Luister, jij, wantrouwige oude man, ik weet niets van de hele filmgeschiedenis af en ik denk er niet aan om jou ook maar voor één lire te verkopen, want de filmmensen zouden mij uitlachen. Niemand wil jou, zelfs al kregen zij geld toe.'

'Je bent een slim man, signor Edoardo. Ik vergeef je. Want ergernis brengt maagzuur en daar kan ik niet tegen.'

'Je bent ook een slim man.'

'Riccardo is ook een slim man. Breng ons een liter, Riccardo, en ga zitten. Il signor Edoardo biedt ons een liter aan, opdat wij hem zouden vergeven.'

'Jij, oude vos.' Edward lachte de kwade namiddag, de kwade avond weg tussen de drinkstem van Nonno en de bezorgdheid van Riccardo. Herinnering, vrouwen en hun lichaam, bitterheid, verdwijnen hier, dacht hij. Ik blijf hier wonen. Zolang ik kan.

Zij lieten Nonno nu vrijuit praten over de grafsteen die hij voor Lucca zou bestellen en gedrieën dronken zij tot in de blauwe morgen de scherpe, prikkelende wijn van de streek. Het werd steeds lichter, de heuvel in het westen leek een meteoor. Zij zaten nog op het terras toen het dorp tot leven kwam en de eerste vrouwen gilden en de schoolkinderen voorbijkwamen. En toen de chauffeur van de filmmaatschappij 'Agathon' met zijn stationwagen voor de Tivoli-bar stopte.

'Daar is hij,' schreeuwde de sergeant-majoor door het raam. 'Eindelijk! Schiet op, Nonno, wij moeten er om negen uur zijn en het is tien voor negen!'

'Hoor de generaal aan,' lalde Nonno.

'De generaal met zijn pensioen,' riep Riccardo nijdig. De sergeant-majoor en zijn dochter gingen achterin zitten en Nonno kroop moeilijk naast de chauffeur, zwaaide toen triomfantelijk naar de twee op het terras. De tranen liepen over zijn wangen en toen de auto in een bocht langs het terras reed, stak hij zijn tong naar hen uit.

3

De bioscoop van Perenna was een weide, waarin elke avond stoelen werden geplant en tegen een rotswand het witte doek werd opgehangen door de uitbater, een eenzelvig man die de dorpen afreisde met oeroude films, waaronder stomme en Italiaans-historische in twee of drie delen.

De eerste rijen waren die avond zoals altijd bezet door oude mensen en kinderen. De uitbater liep rond met een blikken trommel drop en flesjes limonade. Edward kocht een platte rol drop, liet haar ontrollen en als een schoenveter in zijn mondhoek hangen. Een roodharig jongetje op de rij voor hem keek met wijdopen ogen hoe de schoenveter de hoogte in klom en eindelijk tussen zijn lippen verdween; het fluisterde iets tegen zijn moeder, maar die draaide zich niet om. De uitbater zong: 'Aranciate, Caramelle'. Hij was vermoeid en hopeloos. Hij had ruzie met het Comité voor Feestelijkheden van Perenna en daarbij was er een van zijn concurren-

ten – volgens Nonno zijn halfbroer – die regelmatig vlak tegenover de bioscoop een feest met vuur-
werk gaf. In de bioscoop hoorde men dan
oorverdovende knallen en het geroep der mensen
buiten – terwijl de verrader en de trouwe protago-
niste hartstochtelijk hun monden bewogen als vissen op het droge – en ronde, gele, blauwe lichten
spatten vlak naast en boven het doek open, zodat
de meeste mensen de bioscoopweide uitliepen, de
uitbater uitscholden en de gillende kijkers vervoeg-
den.

Nonno beweerde ook dat de elektriciteitspannes
die Perenna om de twee dagen voor uren teisterden
en het nest tussen bergen en zee in een uiteenge-
spreide en verbrokkelde kapel met kaarslicht veranderden, te wijten waren aan de te zware kracht
die de filmprojector van de lijnen vergde. Nonno
liet zich de laatste dagen niet meer zien. Zijn zoon
Manlio vertelde in de Tivoli-bar dat hij nu bij de
filmmensen in Loterne logeerde. Men had hem in
de bar van het hotel gezien op een avond, terwijl hij
boven op een divan danste, er vanaf viel en was
blijven liggen; alle mensen in de bar hadden hun
bier of hun whisky over zijn hoofd gegoten en een
liedje gezongen. 'En hij lag te lachen,' zei Manlio,

'en kon niet meer recht.' – 'Hij heeft altijd van een goede grap gehouden,' zei de kelner Riccardo. – 'Ja, maar niet bij ons thuis,' zei Manlio.

Er waren sterren. Nadat de kinderen schreeuwden en iedereen in de handen klapte, gingen de lampionnetjes opzij uit. Het maandenoude filmjournaal. Edward zag de oude Nonno al, met een baard die droop van het bier en de whisky, zingen en kermen en dansen en zijn oude dag verdrinken in het wildste, hovaardigste feest van zijn leven. Hij dacht aan zijn vader die een raap geworden was met een bril en een doktersdiploma aan de wand, een lange, dode raap.

De dertig mensen in het donker praatten hardop en gaven commentaar, de kinderen renden proestend over en weer en gooiden stoelen omver. Toen kwam er een Technicolor-documentaire over het oerwoud. De schrilgekleurde plaatjes werden af en toe over de hele breedte door zilveren strepen doorkruist, soms spatten er zilveren vlekken, stralen en kruisen in het filmbeeld op. Het doek waaide op en neer, afwisselend dreef de stoomboot met de ontdekkingsreizigers bol en slap als door de zomerwind geraakt. Ook in de stem van de speaker deden zich geheime reutels en ontploffingen voor. Het

oerwoud, dat zich graag had geopend, zijn rivier-
bochten slaafs naar de prauwen met de cameramannen had geplooid, wierp ineens zijn barricades
op. Halt. De dragers en hun geleiders hakten niet
meer door het chlorofylgroen, maar beefden. De
blanke hoofdman fronste de wenkbrauwen, zijn
blonde vrouw keek moedeloos van onder haar tro-
penhelm de lianen langs. Waar bloedrood en glim-
mend een houten bal hing! Hakka-hioeka-ioela,
riepen de negers. Gevaar, vertaalde de hoofddrager.
En inderdaad, tussen de takken die zich spreidden,
zaten snuivende, beschilderde mannen met ongeduldige speren en bogen. Twee meter boven het
doek kwam uit de rotswand een regelmatig door-
sneden lint voorbijgeraasd en een scherp geschui-
fel overstemde het oerwoud en zijn tamtams. Toen
de trein voorbij was, hervond de speaker zijn ont-
roerde stem en zei dat deze wilden voor het eerst
blanken zagen. Edward leunde achterover en kauwde de bittere drop. Iedereen was stil nu, de kinderen
zaten voorover. Samen verschoven zij de struiken,
laadden hun revolvers en maakten vrede met de
vreemdste buigingen en reikten aan de koperen
wilden kinderspeelgoed als geschenken.

    'In welke taal praten de wilden?' vroeg het roodharig jongetje op de rij voor hem. 'In het Italiaans natuurlijk,' zei zijn moeder, 'hoor je dat dan niet?' De lucht bewolkte. Misschien zou het regenen. Wat doe ik hier? dacht Edward. De vakantie eindigt ergens. Waar? Wanneer? Als ik geen geld meer heb. En dan? De speaker had het over piranha's en op zijn wenk, ja, daar zaten de smalle visjes in de gele modderrivier te broeien. 'Kijk hoe bloeddorstig zij zijn, deze gruwelijke moordenaars.' Uit het grasgroen van de struiken, van tussen de platte handvormige bladeren kwam een krokodil, keek om zich heen en waggelde het water in. Dat plots opsprong en openspatte. 'Te laat!' schreeuwde de speaker. Edward hield zijn adem in en in zijn keel klopte een ader. Razend sloeg de krokodil met zijn staart en ploegde wijde, versnipperde geulen in het water en ineens was die staart er niet meer en kwam de krokodil schokkend en bevend als bij een elektrische ontlading, de kleigrond opgeklommen. Op zijn twee voorste poten. In het chlorofylgroen schudde het bovenlijf met de wijdopen, schuimende bek en bewoog de onderste helft waar geen vlees of zenuw meer aanzat, wriemelde met het door de piranha's glad en spierwit afgevreten gebeente. De halve krokodil sleepte zijn witte graat met de lange zijgraten nog een halve meter verder, terwijl geolie-de piranha's uit zijn binnenste wegsprongen en naar het water gleden. Vlak langs Edward ging een hees geluid op. Een verstikt, laf kreetje, ontsnapt aan een orgasme. Hij zag het meisje dat achter hem zat, haar hoofd rustte op haar voorarmen, gekruist over de stoel voor haar. Zij was heel jong. Haar lip-pen waren nat en uit haar mondhoek liep glinste-rend kwijl. Haar vingers steunden het hard en scherp gezicht met de gesperde ogen, in de ban van het gebeuren. Terwijl de pampa wegstierf onder het verdwijnend stipje van het vliegtuig in de let-ters FINE, stond zij op en ging naar de uitgang. Hij liep achter haar, zij had haar zwarte jersey blouse omgekeerd aangetrokken zodat de decolleté op haar rug zat, waar de huid bruin en gaaf was. Zij wendde haar koortsig gezicht naar hem, knikte alsof zij hem herkende.

'Als je je hand in het water steekt, waar die vissen zijn, haal je alleen een stompje been naar boven, lo sai?'

'Ik ben er nooit geweest,' zei Edward rauw en on-wennig.

'Ik ook niet.'

'Ik zou ook nooit mijn hand in het water steken.'

Zij glimlachte en zonder te spreken liepen zij op de dijk. Zij was bijna ongeschminkt, alleen haar ogen had zij met zwarte streepjes in de uithoeken bijgewerkt.

'Ik heb dorst,' zei zij.

'Ik ook.'

'Is er ergens een bar in de buurt?'

'Ja zeker, hier.'

Riccardo knipoogde toen zij langs hem liepen, naar het achterste terras dat op het strand uitgaf. De zee was verlaten, het zou niet meer regenen. Het meisje wilde whisky.

'Als ik hier nu zat,' zei zij en zat voorover, zodat haar borsten bijna op de tafel rustten, 'en onder het tafeltje was ik door de piranha's weggevreten, wat zou je dan zeggen?'

'Ik zou schrikken.'

'Gelukkig zijn er hier geen.'

'Dat denk je!'

'Wat!' Zij lachte, te hard, te graag. Hij deed Riccardo een plaat opzetten, een melig Napolitaans lied, met 'morire' en 'mai piu' in elke strofe.

'Je vraagt je af, waarom ik meteen met je meegekomen ben, ik zie het. Ik had de tweede film al gezien. *Blue Skies*. Jaren geleden al, toen ik op Bing

46

verliefd was.' Zij zei het uitdagend.

'Daarom ben je niet meegekomen.'

'Bing is kaal als een ei, weet je dat? Hij draagt een pruik. Violet heeft ze eens van zijn hoofd geschoven, op een feest in Hollywood. Ken je haar? Violet Leghini?'

'Neen.'

'Zij staat elke week in de krant.'

'Ik lees nooit een krant.'

'Kan je geen Italiaans lezen? Je spreekt het goed.'

'Jawel, maar ik lees nooit kranten.'

'Ook niet in Amerika?'

'Ik ben geen Amerikaan.'

'Je ziet er uit als een Amerikaan. – Wij zouden vanavond naar Varese gaan, Violet en ik. Maar zij is er vandoor gelopen met Palla. Ken je Palla?'

'Neen.'

'Ook niet? Waar kom jij vandaan? Hij is heel bekend, hij heeft al in vier Amerikaanse films gespeeld. Alle meisjes zijn verliefd op hem. Hij is een mooie man, maar als je hem kent, lijkt hij net onecht. Alsof zijn gezicht niet bij hem hoort.'

'Speel je dan in de film in Lotorne?'

'Ja.'

'Dan ken je Nonno.'

'Neen.'

'Een oude man die op de divan danst en solda-tenliedjes zingt.'

'O die,' zei zij minachtend. 'Is hij familie van je? Je grootvader of zoiets?'

'Neen, ik ken hem alleen maar.'

Zij was mooi. Af en toe aarzelde zij en streek met haar gelakte vingertoppen door haar zwarte piek-haren of over haar oren. Iets afwezigs en indringends beroerde haar. De krokodil, dacht hij. Zij droeg geen kettingen of ringen en Edward nam haar pols, die koel en breekbaar aanvoelde.

'Laat mij los.'

'Waarom?'

'Zo maar. Ik ben kwaad.'

'Waarom?'

'Ik weet het niet.' Zij zaten stil. Riccardo schonk opnieuw whisky en liet de fles staan. Het meisje nam Ignazio, de kat, op en zette hem achter in haar nek, waar hij bang loerend over en weer schoof. In-eens gilde zij: 'Hij krabt mij, de smeerlap!' en smak-te hem geweldig tegen de vloer. Haar bewegingen waren bruusk en soepel, en toen zij gegild had, had zij het hoofd naar achter gegooid zodat de dubbele aders in haar keel spanden en haar mond openviel, haar smalle tanden weerspannig vrijkwamen. Haar naakte oksel was een glimmende, blauwe holte.

'Wat een gemene kater.' Zij wreef over haar nek.

'Het is een vrouwtje. Vrouwen kunnen mekaar niet uitstaan.'

'Wat weet jij ervan!' Zij stond op en zocht in de platenbak.

'Niet veel zaaks,' besloot zij.

'Hoe heet je?' vroeg Edward.

'Jia. Jia Venturi. Heb je dan nog nooit van mij gehoord? Ik dacht dat je mij kende, dat je mij daarom achternaliep. Verleden week stond er een foto van mij in *Il Giorno*, met Violet. Maar je leest geen kranten, dat weet ik nu al. Toch zie je er uit als een Amerikaan.'

'Het komt door mijn broek.'

'Een legerbroek.'

'En Amerikanen hebben auto's en ijskasten.'

'Heb je dan geen auto?' Het meisje fronste haar voorhoofd. Haar strenge, schitterende ogen waren zwarter dan haar haar. Zij keek zijn blauwe trui, zijn kakibroek, zijn sandalen af. 'Neen,' gaf zij toe, 'je hebt geen auto.'

Zij dronken en hij streelde haar korte, gevlamde haren. 'Geef toe dat ik een moedig man ben om zonder Cadillac een dure, mooie luxevrouw mee te lokken naar mijn rovershol.'

'Dit is je hol niet.'

'Neen? Zal ik mijn handlangers roepen?'

'En een rover heeft geen Cadillac, maar een wild, wit paard.'

'Een rover gaat ook niet naar de bioscoop.'

'Ik had jou allang in de gaten in de bioscoop,' zei het meisje Jia en wreef haar nek in zijn hand.

'Maar niet toen de krokodil...'

'Neen.' Zij sprong op. Zij stonden naast elkaar tegen de balustrade. Van het water waren alleen de verre schuimkoppen zichtbaar. Het grijze gezicht van het meisje had witte vlekken op de neus en op de jukbeenderen.

'Wie ben jij?' vroeg zij.

'Geen rover.'

'Ik heb jou nooit eerder gezien hier.'

'Jawel, verleden jaar, op een dinsdag.'

'Je bent een gek. Een gevaarlijke gek... Hoe heet je?'

'Edward.'

'Zie je. De naam van een gek,' zei zij wijs en ingekeerd, als een klein meisje tegen haar pop, maar haar stem was dronken. 'Maar, Edward, als je Cadillac in panne ligt, hoe moet ik dan naar huis?'

Hij schonk haar een nieuw glas in, Riccardo bracht verse ijsblokjes en grijnsde achter haar rug.

'Riccardo, hoe moet deze jongedame naar huis, in Lotorne?'

Er waren geen bussen meer, geen treinen, geen taxi en geen koets. Zij liepen langs de dijk, daalden de cementen trappen af naar het strand. Over de keien en in het zand dat hard en vochtig tegen het beweeglijk water lag. Toen zij aan de klippen geraakten die het dorp afsloten, klommen zij langs de rotsen terug naar de hoofdweg. Haar hand omklemde de zijne heel hard.

'Gelukkig,' zei zij moeilijk, 'ben je een beleefde, gevaarlijke gek.' Zij hikte. 'Violet is weg met Palla. Hij is gek op haar. Iedereen is gek op haar.'

Zij liepen traag langs de rotsmuren, in de sterk naar bederf en aarde ruikende tunnels, langs het fietspad in de heldere nacht. Auto's raasden voorbij met koplichten die hen verblindden. Een camion scheerde op een halve meter langs Edwards zijde.

'Zij doen het om ons bang te maken,' zei het meisje met haar dikke stem.

'Ben je bang?'

'Je wil dat ik zeg: "Niet als ik bij jou ben." '

'Ja.'

'Ha, ik wist het. – O, morgen zal ik er uitzien als een lijk. Het is minstens vier uur. Wat zal Sanmarco schelden! Hij is onze regisseur, dat weet jij natuurlijk niet. Ook een gevaarlijke gek, die Sanmarco.'

Toen de weg breder werd en men de lichten van Lotorne kon zien, kuste zij hem. – Haar tong ontmoette en bevoelde de zijne. Toen duwde zij hem weg. 'Kom.' Zij ging trager en moeder. 'Ben ik een hoer? Wat denk je, Edward, ben ik een hoer?'

'Neen,' zei hij aarzelend, verwonderd.

'Toch is het zo. En het gaat jou niet aan.' Neen, het gaat mij niet aan. Zij lachte, een wijd, aangeleerd lachje dat bijna natuurlijk geworden was. Haar parfum was gemengd met haar lichaamslucht, sterk en opdringerig. Haar adem van whisky en iets zoets, het gesperde oog met de dikke geverfde wimpers, de ronding van haar heupen in de slacks die spanden over haar buik en onderbuik en vouwen lieten, alles naderde te dichtbij, onecht, verwarrend. Toen hij haar opnieuw kuste, deed hij het haakje van haar bustehouder springen en voelde de effen, koele huid, de harde top; jong paardje, wild paardje, dacht hij.

'Genoeg, wij kunnen hier niet blijven.'

'Waarom niet?'

'Sanmarco zal woedend zijn en wat een boete zal ik krijgen! Gelukkig knapt Leona dat voor mij op. Zij is zijn zuster.'

Zij spraken niet meer en toen was er Lotorne en het hotel Eden met twee ajuin-torens en een breed ijzergesmeed hek. Bolle gekleurde lampen gaven de bomen een onecht halo, en aan het meisje een groene tint en wallen onder de ogen. Aan een zij-vleugel bleef het meisje staan. 'Oehoe, Violet.'

'Zij wil het raam niet opendoen,' zei zij nijdig. 'Zij hoort mij wel, maar doet alsof...' Zij gooide grint tegen de ruit. 'Violet, rotmeid, Violet!' Het duurde een kwartier en het hotel kraakte in geheime voe-gen, omgeven door nachtinsecten. Het meisje was ontredderd, haar ogen, dik en nat, bedwongen het gesloten raam. 'Zij is er nog niet. Ik heb de hele nacht gewacht.' – 'Violet.'

In de hal ging licht aan en scheen over de trappen en de gerijde palmen. 'Gauw!' Zij rende de hoek om en hij volgde haar, zij vielen achter een rododen-dron neer. Zij huilde zonder geluid. 'Ik wist het, ik wist het dat zij zou wegblijven.'

Een gebogen man in kamerjas stond in de tuin met een gedoofde zaklamp in de hand, hij krabde zich in de lenden en riep zenuwachtig, naar niemand, naar de tuin, naar het hek: 'De deur blijft open. Maak mij niet meer wakker.' Hij liep binnen op klepperende sloffen en draaide het licht uit.

'Hij heeft ons gezien,' zei Edward.

'Neen, hij wacht tot wij binnenkomen in de hal en schakelt dan plots het licht aan, en schrijft ons op voor een boete.' Zij was veranderd sedert zij binnen de omheining, de donkergroene cirkel rond het Eden-hotel, was geraakt. Een kleine jongen riep ergens: 'Jia, ben jij het?' En een paar ramen verder leunde een meisje over de vensterbank.

'Rosie, is Violet bij je?'

'Neen, dat weet je wel.'

Hij ging Jia achterna in het licht, onder de platanen. Rosie's spits gezicht, haar kortgeknipt rood haar zat verdoken in naakte, magere schouders.

'Kom gauw naar boven, Jia. Ik heb sigaretten, nieuwe, uit Genua.'

Toen het meisje naast hem wegging, zei Edward tegen haar rug: 'Neen.' Zij keerde zich heftig om. 'Je moet.' Zij nam zijn lenden vast.

'Kinderen!' riep Rosie.

'Hoe vind je hem, Rosie?' Jia hield hem bij zijn trui vast.

'Mooi!'

'Hij heet Edward,' riep Jia.

'Dag, Edward. Kom gauw. Ik heb sigaretten.' I-a-ette, de klank hield iets donkers in, iets weeks, een vrouwelijke rook.

'Goed dan,' zei Jia, 'als je niet wil, dan wil je niet. Ga dan maar naar huis.' Zij liet hem los.

'Heeft Rosie mij goed genoeg gezien?' Hij ging naar het hek; de schorre jongensstem van Rosie vertelde nog opgewekte, dreigende dingen. Iedereen heeft iets achter de mouwen, dacht Edward, waarom het meisje Jia niet?

Hij keek niet meer om en was al op de dijk tussen de dwergplanten, toen Jia hem vervoegde, ademloos, met uiteenwaaiende haren als vloeibare stekels.

'Je moet niet boos zijn.' Alsof zij al heel ver waren in de vlug afzienbare tijd dat zijn en haar lichaam niet in één ruimte konden bestaan zonder zich te raken, gleden zij tegen elkaar, voelden haar vingernagels zijn ribben en drong hij in haar scherpe lichaamslucht. Arbeiders op de weg schreeuwden hen toe.

'Ik ben kwaad,' zei Jia, 'ik dacht: het kan mij niet schelen, ik neem de eerste de beste boer op de weg mee naar het hotel, om haar te pesten. Vergeef mij.'

'Nu, Rosie zal het wel aan Violet vertellen, morgen.'

'Ja.'

'Dan ben je toch tevreden.'

Zij wachtte. 'Ja,' zei zij grimmig. Hij stak de straat over, wendde zich toen om, wilde haar toewuiven, maar zij was al weggelopen. Hij sprong op het strand, ging vlug, liep toen hard en regelmatig als in de dagen dat hij trainde, herkende de aangename pijn van de lucht in zijn longen, en zag al gauw de Sarrazenenheuvel die Perenna beheerst.

4

Hij werd wakker doordat er iemand in de kamer was, een aanwezigheid die hem gehinderd had in zijn slaap. Het dienstmeisje Maria stond naast het schrijftafeltje, zij hield een porseleinen vaas met fuchsia's in haar handen. 'Het zijn bloemen vanwege mevrouw.' Haar lippen waren rood en vet geschminkt, haar opengekamd haar viel wolkig langs haar oren; met haar smetteloos wit schortje voor leek zij op een pijnlijke nabootsing van een dienstmeisje in een vaudeville. Zij wachtte tot hij haar bewonderde, liep toen strak (zonder heupwiegen, wat, zoals haar eerlijk boerinnengezicht onder de schmink, een onvolledig, nog grotesker karakter gaf aan de nabootsing) naar de deur. 'Hoe laat is het?' – 'Drie uur.' – Zij wendde zich gretig om. – 'Dank je.' Zij sloeg de deur dicht en kwam niet meer binnen. De dag daarna ook niet.

Hij luisterde uren naar mevrouw Leccini, terwijl zij pralines en Russische koekjes at, en over haar dochter sprak die weggelopen was met een landloper, een pianist. 'Hier onder mijn eigen ogen, terwijl ik er met open ogen stond naar te kijken speelde hij voor haar. Ik had hem binnengehaald omdat ik er medelijden mee had, want hoe zag hij er niet uit, ach, een teringlijder was het. Toen, ineens, op een morgen, zonder een woord tegen haar moeder te zeggen, was zij weg.'

Jaren later had de dochter geschreven dat haar man zijn twee benen afgereden waren door een tram en dat zij haar moeder om vergiffenis vroeg. Maar de oude had nooit geantwoord. Zij had er spijt over, maar kon haar trots niet overwinnen. 'De avonden zijn lang, en geen hond of geen kat, geen enkel vriendelijk woord dan natuurlijk van u, signor Edoardo...' Hij hoorde niet, knikte maar.

Hij zat aan de zee en gooide keien om het verst met de mongoloïde. Of deed ze opzwiepen over het watervlak wanneer er weinig golven waren, terwijl Mario gierde en snoof. 'Napoleone, Napoleone.' De andere kinderen die soms rond hen kwamen staan, durfden Mario niet meer te duwen of te schoppen; Mario, fier en bang terzelfdertijd, hield Edwards arm vast en blafte naar hen. Wanneer het laat werd en Mario, die steeds afdwaalde, te ver was gelopen, zeilde een witgekapte non hem achterna en speelde locomotief; hij tufte gemakkelijk in haar schaduw mee.

Het dorp was stiller zonder Nonno en drie dagen na zijn ontmoeting met Jia Venturi nam Edward de bus naar Lotorne. Vanaf de heuvels leek Lotorne een duur, in onbruik geraakt speelgoed, verspreid in verweerde blokken waarop glanzende schilfers zaten: de pasgeschilderde huizen, de reclameplaten, de benzinestations. De bus stopte vlak voor het hotel Eden dat bevlagd was en waarrond een marktdrukte heerste, met gapers en schreeuwers die de filmmensen kwamen zien. Hij was besluiteloos. De blinden van het hotel waren dicht en zonbeschenen. Hij zweette. Wandelde Lotorne in. At er. Toen hij terugkwam, waren het hotel en de tuin verlaten, er stonden alleen schijnwerpers en enorme linnen schermen; dames op leeftijd aten ijs in de tuin. Hij volgde de grote beweging der nieuwsgierigen die naar de dijk was overgebracht.

Een man in zwembroek met een witte pet op en bergschoenen aan stond op een platform, snauwde iets door de microfoon en onmiddellijk daarna begonnen politieagenten te gesticuleren en de opgepropte mensenmassa achter de afbakening van touw en rode paaltjes te duwen. De filmmensen waren de naakten, de baksteen- en kreeftrood-verbranden, de geolieden, de gillenden, de druk gebarenden in hevige kleuren. Edward onderscheidde de cameramannen, de helpers, de maquilleuses, de acteurs. Er werd een opname gemaakt van drie actrices rond een blonde, rijzige vrouw in een kanariegele broek, die samen iets geheims en lachwekkends vertelden en het dan uitproestten. Zij deden het zes keer over, dit onmenselijk, soepel en toch mechanisch spel van bewegingen, fluisteringen, zes keer klapten de vier vrouwen op hun dijen van de pret. Helpers met zonnebrillen op liepen naar alle kanten, als een kluwen wormen die vervlugd losraakte; zij berekenden de lichtsterkte, de afstand, en schreeuwden. Andere acteurs, met gele smeer op hun huid, lagen in klapzetels. Naast een zware man in short, die haar hand vasthad, zorgeloos, als een handtas of een boek, zat Jia en zij zagen elkaar op hetzelfde ogenblik, leek het, want zij kwam uit haar ligzetel en wuifde in zijn richting. Hij zwaaide terug. Zij zei iets hard lachend tegen de zware man die naar Edward keek en ook wuifde. Edward bereikte met brandende ogen van schaamte het hotel Eden.

Zij was niet geel geschminkt geweest zoals de anderen, maar klaarder, meer naar het roze toe. De zware man die hem toegewuifd had met een ongewone minachting en weerzin, was natuurlijk Palla, de man met de vrouwen en de drie Jaguars, over wie zelfs mevrouw Leccini het met bewondering had. Gedurende de busrit terug hield hij zich bezig – de onmacht was dik en bitter in zijn mond als na een dronken slaap – met een voor Jia vernederde Palla, met zijn eigen beheerst gezicht terwijl hij vlug en doelmatig Palla in de maag sloeg en in de onderbuik schopte. Ik word ziek, dacht hij. Palla moet ik wegwerken met een chemisch zuur, als een enorme slak met zout.

Jia's lippen, donker, bijna zwart, hadden blij geglimlacht toen zij zwaaide. Maar ook toen zij iets hatelijks over hem vertelde, terwijl de zware man haar hand kietelde, neen, vasthield als een boek.

Het dienstmeisje Maria praatte met haar tuinier bij de kloostermuur, en toen hij voorbijgegaan was zonder groeten, hoorde hij haar roepen, als tegen zijn rug: 'Ciao, Moretti.' Zij zwaaide met een korfje. 'Ik moest je deze druiven en vijgen brengen van de Ingegnere.' Dat zij de Ingegnere goed kende en net als de kruideniersdochters zijn verhalen aanhoorde, kropte de begeerte plots op en hij beefde en stak zijn hand in zijn broekzak. Zij staarde. Zij ging hem na, het tuinhuis en de kamer binnen. Vlugger dan zij zich liet vallen, stootte hij haar tegen het bed. Ietwat later – 'Zo vlug?' – 'Ja' – 'Ah!' – streelde hij haar, waar haar jurk over haar borst welfde. Hij had haar lichaam niet gezien, alleen vervlugde, verspreide fragmenten die de gejaagde ren hadden opgedreven. Ook het open oog, waarvan de adertjes gesprongen waren, de halve mond (open zoals zij helemaal lag, een buigbare, veelmondige, opengesneden inktvis) die riep in een snelle ademtocht, de haren, zuiver en dicht tegen de witte schedelhuid geplant. Hij vroeg haar sigaretten aan te geven en daarna zei zij tegen zijn borst en zijn onderbuik lieve woorden in haar dialect, tot hij haar neerdrukte en weer in de vertrouwde, hete vlokkigheid verging. Zij klom naar zijn gezicht met schuine onblije ogen.

'Mevrouw Leccini zal je nodig hebben.'

'Nu nog niet.'

'Jawel.' Toen zij niet verroerde, zei hij: 'Of Moretti.'

Zij zat rechtop, schikte haar jurk goed. 'Dat moet je niet zeggen, signor Eduà, het is lelijk zoiets te zeggen.' Zij knoopte haar haren dicht. Hij herkende de pijn der belediging zonder zin, zonder doel. Hij ging aan het raam staan, zij (gekwetst, gestoken door de mannetjesbij) maakte zijn bed weer op, sloeg de hoofdkussens hard en herhaaldelijk glad.

5

Indien Jia alleen was geweest had zij gewuifd met een andere buiging van haar arm, met andere vingers, een nieuwer gezicht met een reeds geheime uitdrukking alleen voor hem bestemd. De barman van het hotel Eden zei dat la signorina Venturi niet wakker gemaakt mocht worden, het was een bevel van de administratie; zij had namelijk aan nachtopnamen gewerkt tot vijf uur vanmorgen. Edward dankte hem, dronk traag zijn ijskoffie. Een dikke jongeman in een witlinnen pak was zeer uitbundig en riep dat Sanmarco een bastaard was die met de demochristiani flirtte om zijn reputatie. Hij veegde voortdurend zijn gezicht droog en dronk grote glazen spuitwater. Niemand in de bar luisterde naar hem; een lelijke vrouw van bij de vijftig die patience legde, zei hatelijk: 'Wees blij dat hij jou een rol gegeven heeft, Banco.'

'Alsof hij anders had gekund!' riep Banco. 'Weet je dan niet dat Cerucci hem gedwongen heeft? En

wacht tot Cerucci te horen krijgt met welk pestrol-
letje ik ben afgescheept geworden.'

'De markies Cerucci,' zei een man met een vossengezicht die zijn strohoed had opgehouden, 'is
van een goede familie, maar een complete imbe-
ciel.'

'Mijn beste graaf, laat mij toe...'

'Ik laat niets toe,' zei de vos en praatte verder met
zijn vrienden. Hoogrood slofte Banco naar Edwards tafel. 'Speelt u vanavond?'

'Neen,' zei Edward.

'Ik heb u nog niet op de set gezien. Wanneer begint u? Of heeft u nog nooit gespeeld? Sanmarco
neemt soms types uit de straat. Bent u er een van?
Komt u kijken hoe het moet? Ah, ik ken het zo goed,
dit gevoel; toen ik begon, voelde ik de grond onder
mijn voeten wegzinken. Een naar gevoel, nietwaar?'

'Helemaal niet.'

'Omdat je niet weet wat het is.' Als Edward geen
acteur was kon hij hem rustig tutoyeren, dacht hij
waarschijnlijk. Banco ging zitten. 'Luister wat een
oude rat in het vak je aanraadt.'

'De jonge rat in het vak veegt er zijn staart aan.'

'Hihihihi.' Banco hinnikte en sloeg op de glazen

tafelrand. 'Je bent goed,' hikte hij, 'je bent uitstekend.' Plots keek hij ernstig. 'Ik zal kijken wat ik voor je kan doen. Misschien laat ik je zelfs een paar woorden zeggen. Zeg je nu al iets?'

'Waar?'

'Bravo! Je zal slagen. Je bent op je hoede. Uitstekend. Je bent niet zoals ik, die niet nadenkt als ik spreek. Nu, iedereen kan niet spontaan zijn. Het geeft niet, ik doe wel een goed woordje voor je bij Sanmarco. Hoeveel verdien je nu?'

'Ik verdien niets.'

'Wat doe je hier dan? Logeer je hier misschien? Of werk je aan de Engelse versie?'

'Neen.'

'Maar je bent toch een acteur? Neen?' Banco zuchtte. 'Zoveel te beter; je weet niet waaraan je ontsnapt bent. Je bent een gelukkig man. Kijk naar mij. Hoeveel weeg ik?'

'Tachtig kilo.'

'Neen, ernstig.' Hij sprong recht, hield zijn handen op de heupen, zijn gezicht plooide in een poppenlach.

'Negentig?'

'Honderdtien! En weet je hoeveel ik vier weken geleden woog? Negenentachtig. En daarvoor had ik zes maanden lang geen spaghetti gegeten, niet één glas wijn bij mijn eetmalen gebruikt! In stoombaden heb ik gezeten, elke dag twee kilometers heb ik gelopen en gefietst. En elke dag woog en mat ik mijn buikomvang!' Hij keek Edward in de ogen. 'Je gaat voor de spiegel staan, naakt, en je staat niet als een militair of als op een plaatje, neen, je staat gewoon in je natuurlijke houding, niet zeuren, en dan neem je je Antonio, dit is de man in karton, die het instituut je zendt en die zet je naast je, en je vergelijkt de maten zes maanden lang.'

'Cretino,' sneed de stem van de vos en iedereen lachte.

'Ja, cretino, mijn beste graaf, dat mag u gerust zeggen.' Banco sloeg zich met de vuist op de borst. 'Ik ben een cretino, ik weet het, maar ik ben het alleen omdat ik naar jullie luister, die mij op de slechte weg brengen.'

Zelfs de kelners lachten nu en Banco, aangemoedigd, beweeglijk en luid, gaf zijn vertoning verder. De bar werd een overvol circus en hij stond in de verlichte zandcirkel.

'Op die bewuste avond' – hij had het meer verteld, Edward merkte het aan de gezichten die een onontkoombare grap verwachtten en zich reeds in lachrimpels zetten – 'om tien uur bij Canova, ik zal het nooit vergeten, komt Cerucci binnen en hij ziet mij, zegt dat hij blij is mij te zien na zo'n lange tijd, want hij is ziek geweest, de galblaas, geloof ik, en ineens schrikt hij, of doet alsof hij schrikt. Maar beste Banco, zegt hij, wat is er gebeurd? Je ziet er goed uit, dat wel, maar het is een catastrofe. Want ik zoek je al weken voor een formidabele rol in de nieuwe Sanmarco-film, een rol die Petrini speciaal op mijn aanvraag voor jou heeft geschreven. – Fijn, zeg ik. – Ja, maar nu gaat het niet meer, beste Banco – Waarom niet? – Maar neen, jongen, je bent het personage niet meer, helemaal niet meer, er moeten minstens minimum twintig kilo bij. Zoals je vroeger was. – En mijn agent die bij Canova als een spin in de hoek zit, komt aangeslopen en zegt: Als je die rol van je leven laat lopen, hoef je mij niet meer op te bellen en ons exclusiviteitscontract verbreek ik niet, dan kan je naar de Openbare Steun.'

De hele bar gierde, de lelijke vrouw schreide van het lachen.

Banco acteerde de sluiperige agent, Sanmarco, Cerucci en zichzelf in karikatuur, log, onhandig, kinderlijk. Maar hij ging te ver, hij acteerde te vlug, te luid, kwam in zijn overgave te dicht bij de tafeltjes, zodat langzamerhand de hijgende lachjes verdwenen en de spanning verloren ging, alsof niemand de heimelijke, als afgespiede intimiteit met de zwetende dikke jongeman verdragen kon. 'Wat ben ik, een harmonica, die iedereen in- en uittrekken kan!' riep hij nog, maar werd de leeggelachen stilte gewaar, hij kwam aan Edwards tafeltje zijn glas spuitwater halen. Toen de lelijke vrouw haar patience bijeenraapte en naar de lift ging, volgde hij haar.

De graaf en zijn vrienden dronken een groen, siroopachtig vocht, waarschijnlijk Italiaanse Pernod. Edward bestelde het; het heette Pineta, er stond een gepunte groene den op het flesje afgebeeld. Hij dronk er vier van, het drankje was bitter en sterk.

'Je bent er niet, zwartmanig paardje. Ik verwacht je in je vergulde stalactietenhol tussen verongelijkte dikkerds, graven met vossengezichten, mensen van je ras. Je hoort bij hen, je kent hun gebaren, het aangeleerde en natuurlijk geworden lachje, de houding en beweging van hun gezicht naar het vleiend of het veilig licht. Zij houden zoals jij een sigaret of een glas als een kleinood voor zich, zij spreken ook alsof zij kostbare, breekbare kleinoden loslaten van tussen hun altijd gave en witte tanden. Het Ras van de Glimlach. Hij dacht aan de vloeibare stekels van haar kortgeknipte haar, de kroonbladeren van een zeer zwarte chrysant.'

'Er zijn geen zwarte bloemen,' zei hij, 'en de blauwe roos is nog niet gekweekt.'

'Neen,' zei de barman, 'dat kunnen ze maar niet klaarspelen.'

De tijd verging. De hitte viel, werd een grijze damp in de tuin en trok weg. Er kwamen nieuwe maar steeds eendere mensen in de bar, en de barman keek hem een hele tijd onderzoekend aan.

'Je kan nogal weg met die Pineta's.'

'Ik heb het van mijn oom, een sterke man, men noemde hem "De blauwe Roos". Het drankje was eigenlijk helemaal niet lekker, toch dronk hij er nog twee. Hij had al besloten terug naar Perenna te keren, toen Palla bij hem stond, in een zwarte pullover, die hem veel slanker deed lijken. 'Kom je Jia bezoeken?'

Edward knikte.

'Zij heeft mij over jou verteld.' Palla wachtte. 'Je valt slecht. Zij moet rusten tot zes uur.'

'Van wie?'

'Van mij,' zei Palla. Zijn regelmatig, getaand gezicht had het type van de pijp- of pijptabakadvertenties met iets loggers in de bouw van neus en kaaksbeenderen. Hij ook, dacht Edward, houdt zijn glas als een kleinood vast en lacht te ver zijn gelakte of geverniste tanden bloot.

'Zijn dat echte tanden?' wees hij.

'Je bent dronken,' zei Palla hartelijk. 'Maar als je wil, kan ik je wel naar Jia's kamer helpen.'

'Natuurlijk, jij kan alles. Jij kan iedereen overal heen helpen. Jij bent zo sterk.'

'Kom.' Palla legde zijn hand op Edwards schouder en liet haar daar tot zij de bar uit waren. 'Opgepast,' fluisterde Palla toen zij voor een deur op de tweede verdieping stonden; hij hield zijn neus met twee vingers dicht en klopte aan. 'Si,' riep een meisjesstem die niet die van Jia was.

'Il cameriere, signorina,' zei Palla's neusstem. Toen de deur zich op een kier en daarna verder opende, duwde Palla er Edward tussen, zodat hij vooroverviel en tegen een blonde, naakte vrouw aanbotste; om zijn evenwicht te bewaren hield hij zich aan haar vast, terwijl hij Palla juichend de trap hoorde aflopen. De blonde vrouw was zeer glibberig en droeg alleen een roze slip. Zij vloekte heel hard, twee, drie keer; hij lachte dom. Op het brede bed, dat de helft van de kamer in beslag nam, lag

71

Jia, die zich met een krant bedekte. 'Edward, draai je meteen om,' riep zij. De kamer, een stolp, sloot de geluiden, de lucht, de trilling van de wereld buiten, volledig af; hij was niet langs een plotse scherf in deze stolp gedrongen maar door een trage, rekbare holte. Wat nu? dacht hij. Hij las, gehoorzaam met zijn gezicht tegen de deur, de fiche met de aanwijzingen in vier talen die er opgespeld zat. 'Vooral geen voorwerpen uit het raam gooien, Jia, anders komt er politie bij te pas, het staat hier heel duidelijk.'

'Je mag je omdraaien.' De hoogblonde vrouw – die met een kanariegele broek de opname van de geheime fluisteringen en uitbundig gelach had gemaakt op het strand – was Violet; zij hield haar naakte borsten in haar handen, masseerde ze cirkelvormig voor de spiegel. Jia had een zijden kamerjapon met bloemen en gouden vogels erop aangetrokken.

'Wie is die kerel?' vroeg Violet met een donker lachje, dat iets van de nerveuze overtolligheid van het schuddende, glanzende lichaam had. 'Laat je nu al de vissers van het dorp in je kamer binnen?'

'Ik ben geen visser,' zei hij.

'Je ruikt naar vis.'

'Ik wil praten. Met Jia.'

'Waarover?'

'Ach, hou op Mae West,' zei Jia, zonder nadruk, zonder mening. Hij kon haar niet bereiken. Was zij een andere binnen deze omheining? Zij zat opgericht en deed alsof zij in de krant las. Wat had hij verwacht? Dat zij met open armen op hem toe zou vliegen? Violet ontdeed aandachtig haar torso van het wit, glibberige schuim. Zij vestigde kwade, amberen ogen op hem.

'Meteen greep hij mijn borst vast, je visser.' Zij poederde de donkerbruine, glimmende tepels, sloeg een badmantel om.

'Ik ben geen visser,' herhaalde Edward. Het dorp hield hem voor een Amerikaan, Banco voor een acteur, Violet voor een visser. Genoeg. 'Ik ben de Grote Onbekende.'

'Jammer. Want ik ben dol op vissers. Nietwaar, Jia?'

'Stik, kreng.' En met dezelfde stille stem, alsof zij de stille laagte ervan wilde verderrekken, misschien iets opwekken met moeite en ijver dat in die stem verscholen zat, zei zij: 'Edward, geef mij een sigaret.'

'Neen!' riep Violet.

'Jawel, Edward.'

Violet vloekte. 'Altijd hetzelfde.' Haar poppenge-zicht schreeuwde: 'Ik ben moe om op jou te pas-sen'.

De kamer was luxueus, met dikke, wijnrode ta-pijten, lage moderne meubelen, verse bloemen, hij stond erin als een leverancier.

'Walgelijk. Je weet dat je niet mag roken. En je verplicht mij om in deze verstikkende, droge lucht te hokken. Zij doet nooit haar ramen open, Ed-ward!' Dacht zij in hem een onverwachte bondge-noot te vinden?

'Ik verplicht jou helemaal niets,' zei Jia, 'je hebt vier kamers voor jou alleen.'

Hij gooide Jia een sigaret toe, stak haar aan, zat toen in een der roodlederen zetels. Vijftien vrou-wen geurden in deze kamer.

'Ik ben hier eerder geweest. Maar je moest rusten, zei men beneden. Heb je gerust?'

'Ja, papa.'

'Heb je gefilmd vannacht?'

'Twaalf uur heb ik geschminkt en in een nauw korset gezeten, en om het uur werd ik bijge-schminkt, en ik kon niet zitten want de jurk zou rimpelen en ik mocht niet drinken want anders zweette ik, en die hele nacht ben ik niet één keer aan de beurt gekomen.'

'Het is Regina's schuld. Zij wil je pesten,' zei Violet.

'Zij is al over de vijftig, wat wil je?' Het gezicht tussen de zwarte, onduidelijke kap haren werd ineens wakker en waakzaam. 'Sst.'

'Muizen,' zei Violet zachtjes.

'Die Palla vind ik zo'n rotzak,' zei Jia ongewoon hard. 'Omdat hij haar op zijn borst heeft, denkt hij dat hij Gary Cooper is.'

'Maar hij heeft te dunne benen.' Violet riep het. Het geheimzinnig spel moest Palla bereiken op uren afstand. Straks zouden zij dansen en spelden steken in zijn wassen beeld.

'De rotzak beloert onschuldige meisjes door het sleutelgat.'

Uitgedaagd, opgeroepen, antwoordde Palla's keelstem buiten. 'Oehoehoe.'

De deur viel open en bonsde tegen de muur, onder de plotse druk van opeengepakte, schreeuwende mannen en vrouwen die de kamer inzwermden, rond het bed als kleurige reuzenkevers met de sprieten vooruit.

'Wij wisten het,' gilde Violet.

'Wij hadden jullie gehoord aan Bella's houten schoenen,' riep Jia. Hij wilde ook iets zeggen, want hij had ook de dreigende aanwezigheid aan de andere kant van de deur gevoeld, maar hij vond niets. 'Haha,' deed hij.

Zij vielen rond en op het bed, vijf verhitte wezens die de stolp verbroken hadden, in een onbevlekte ruimte nu bewogen, en hem aanstaarden.

'Ik heb geen bochel.'

Zij lachten.

'Wie is deze protagonist?' vroeg een der vrouwen.

'Maar Bella, ken je dan Laurence Olivier niet meer? Hoe gaat het, ouwe Larry?' zei Palla.

'Slecht.'

'O, Larry,' zeiden de vrouwen en Jia kirde hem toe, alsof zij hem nu pas herkende.

Banco streelde Violets schouder boven de badmantel. 'Ik hoop dat Laurence Olivier niet zo stout is geweest als Banco gisteravond. Anders moet hij ook in de hoek.'

'Kan Larry verstoppertje spelen?' vroeg de andere man, een dunne bleke.

'Het mag niet meer van Sanmarco,' zei Bella. Met de Houten Schoenen.

'Sanmarco mijn voeten,' zei Palla.

'Edward, jij kende toch die oude man van Perenna, die met zijn baard?'

Hij knikte naar Jia. 'Het is zijn schuld dat wij geen verstoppertje mogen spelen in het hotel,' zei de dunne bleke en zou gaan huilen.

'Nonno.'

'Ja, Nonno.'

'Hij is gevallen.'

'En dan?' vroeg Edward hees.

'Hij is dood,' zei de dunne.

'Neen, Paolo, hij heeft alleen zijn been gebroken.'

'Ik wou dat hij dood was,' zei Paolo als een verwend kind.

'Hij heeft ook een schedelbreuk gehad,' zei de tweede vrouw. Haar lang en treurig gezicht zat in een halsdoek gebonden. Zij was kalm en oud. Een moeder van lastige, grote kinderen, leek zij. 'En hij is in het hospitaal te Genua nu.'

Zij hadden blindemannetje gespeeld en Nonno was van alle trappen gevallen.

'Niemand weet er iets van in Perenna,' zei Edward. 'Wanneer is het gebeurd?'

'Verleden week.'

Het kamermeisje rolde een tafeltje binnen met flessen en ijs.

Nonno's zoon wist nergens van, Nonno was natuurlijk te trots om zich te laten horen. Zij praatten over Nonno, die een geilaard was en een zatlap, zeiden zij. Maar een uitstekend acteur, zei Palla.

Zij dronken en toen danste Banco de dood van een gangster voor; herhaaldelijk door kogels getroffen wipte hij op met angstige ogen, en toen, met fladderende mouwen en op teentoppen, steeg hij ten hemel. Maar Palla, de duivel, sloop de hemel binnen en bokste deskundig de gangster in de maag. Banco hapte naar lucht, hield zijn buik vast en grijnzend van de pijn viel hij aan Edwards voeten neer. 'In de hel, in de hel!' riepen de vrouwen.

'Ik ben de minnares van de duivel, en ik ben gemeen, veel gemener dan hij,' zei de vrouw Bella en kneep de liggende Banco in de nek.

Hij was wit. Hij zal zijn glimlach niet meer kunnen houden, zijn trots zal in tranen openbreken, het uur der onwillige overgave nadert, dacht Edward. Was het een vertoning die zij voor hem gaven? Hun spel was onecht, verwrongen, zinlozer nog dan voor de regisseur, maar hij voelde dat hij er in paste, hij herkende de overhitte gebaren, de krampachtige grijnsjes. 'Alleen durf ik het niet zoals zij…' Hij dronk en wuifde wild, als op een vertrekkende Kanaalboot, naar Jia, trok gezichten. Straks kan ik niet meer ophouden. De moeder van lastige kinderen lag op haar buik naast Jia en beloerde hem. Hij keek terug, hield een verlamd oog dicht. Hij was een éénogige piraat en zij was kalm en wijs.

Bella nam een aanloop en sprong op Banco's rug. Viel er lomp af met opzettelijk in de lucht zwaaiende benen, een van haar klompen vloog tegen de vloer en tegen Edwards enkel. 'Au!' Zij kroop recht op wijde knieën en wreef over zijn enkel.

'Zoet voetje,' mummelde zij. Hij keek in haar witte, gespierde nek. Misschien was Nonno er erg aan toe, wat wisten zij er hier van? Moest hij Nonno's zoon niet verwittigen? Hij duwde Bella weg; knipogend naar de kalme, oude vrouw ademde hij diep in. Hij liet de kamerdeur half open staan, de geluiden waren op slag gedempter alsof zijn aanwezigheid heel schril was geweest in de kamer.

'Ik wil telefoneren.'

'Naar je oom die men Blauwe Roos noemt?' vroeg de barman. Hij begeleidde Edward in een salonnetje. Terwijl Edward het nummer van de Tivoli-bar vormde, raakte iemand zijn schouder. 'Moet ik je dan altijd achternalopen?' zei een lage stem.

Met de hoorn wreef hij over Jia's wang.

'Ik ga zo traag, je hebt al de tijd om mij in te halen.'

'Naar wie telefoneer je? Naar je vrouw? Dat je later komt vanavond?'

Hij knikte. 'En dat ik een vriendinnetje meeneem. Zij zal verrukt zijn. Zij wil je leren kennen.'

'Is zij mooi?'

'Prachtig.'

'O.'

'Zij heeft huidkanker. En zij heeft maar één been, maar dat moet er ook af.'

'O, jij gevaarlijke gek.' Haar dunne vuist sloeg tegen zijn ribben.

'Zij heet Patricia,' zei hij en trok haar dichterbij. Zij was warm en mager.

'Zij heet Jia,' zei het meisje.

'Neen. Want Jia heeft twee benen.' Hij raakte haar tussen de panden van Chinese (of Italiaanse of Joegoslavische) zijde waar de huid vochtig was, dik en geplooid. Zij sloeg haar kamerjapon dicht.

'Hé, jij vlugge.'

Zij wachtten.

'Hoe vind je Violet?'

'Zij is mooi.' Het was niet wat hij moest zeggen, wat van hem verwacht werd.

'Ja,' zei Jia, 'ik zie je binnen tien minuten aan de bar.'

'Vlugger.'

'Misschien.'

'Een mooie oom,' zei de barman.

De wezens in de bar – genoeglijke, gesloten kring van uitverkorenen, die verplicht waren hun nazomer in dit achterlijk dorp door te brengen – kakelden. De lelijke vrouw, dat hoorde hij nu, was Regina, de zuster van Sanmarco. Zouden zij samen een nachtbad nemen? vroegen haar twee gladde jongemannen. Zij koerde en kronkelde onder de dringende stemmen van de twee hanen. Edward ving hun samenzweerdersblikken op, die haar bedrogen, wanneer de ene zei: 'Cara Regina, hoe ongeduldig zijn wij voor vannacht!'

De graaf met het vossengezicht sliep, knorretjes ontsnapten zijn verdroogde lippen. Zijn vrienden hadden het over betalingen. De avond werd merkbaar maar de kelners liepen zonder sloffen, zonder doorbuigen, zoals vanmorgen vroeg, vertraagden niet. 'Nu weet je, Simeone, dat ik niet eens in de film zal te zien zijn. Ik doe het voor de vijftigduizend per dag, maar mijn geweten is niet rustig. Mijn artistiek geweten bedoel ik. God weet dat ik het voor mijn dochtertje doe. Dat die school van haar te duur is, ik weet het, maar...'

Het leek Nonno wel. Het leek alsof iedereen om geheime redenen in de film speelde, dat de film een beschamende werking was, dat het Ras van de Glimlach niet durfde verantwoorden.

Nonno had blindeman gespeeld en de blindeman was gevallen. Goed voor hem. Wie speelt valt.

'Te sterke heupen!' riep een der samenzweerders. 'Natuurlijk niet, Regina. Overigens aan de heupen herkent men de vrouw!'

'Ik ken jou,' zei de lelijke vrouw, 'jij wil een grosplan hebben.'

'Alles wat ik zeg, interpreteer je verkeerd. Maar je mag,' zei de jongeman bitter, 'je bent de baas.'

'Toe nu, Rico,' suste zij. Hij trok een ontzet, gefolterd grimasje en liet een doodsreutel horen, spreidde voorzichtig krampachtig de handen over zijn maag.

'Zie je? Zo moet ik door Palla neergestoken worden. Als Sanmarco dát niet ziet, dat er hier een gros-plan moet komen.'

'Goed dan,' zei Regina, 'een gros-plan met alleen je handen en je buik.'

De jongen wendde zich af.

'Je weet wel dat Sanmarco het niet wil,' riep zij hem na.

'Omdat hij alle gros-plans aan Violet moet geven!'

'Daar kan ik niets aan doen.'

'Nu, laat je broer maar bij Violet, je zal zien wat er gebeurt.' Hij fluisterde haar iets aan het oor, de andere jongen knikte instemmend en zij schrok, zij rekte haar hoofd als een kip. 'De Engelse fotograaf heeft het ons verteld.' Regina, lang, ontdaan, ging de donker wordende tuin in.

'Zij houdt zo van haar broertje,' zei Rico.

'Hij schrikt zich dood als hij het te horen krijgt,' zei de andere.

'Violet heeft al veel ergere dingen over ons verteld.'

Jia, in een roze jurk zonder mouwen, met paarse lippen en moede, zwarte ogen, kwam en Rico floot bewonderend. Zodra zij Edward vond, nam zij zijn hand vast, riep naar de barman: 'Hij betaalt straks wel,' en trok hem mee naar buiten. 'Vlug, want zij zitten mij vlak op de hielen.' Zij renden door de tuin, Edward achter haar, en hielden stil bij de autoparkeerplaats.

'Violet zal het mij nooit vergeven. Ik zei dat ik even naar het toilet moest.'

'Zij moet er toch niet altijd bij zijn.'

'Neen.' Zij aarzelde.

'Je hangt toch niet van haar af.'

'Neen.' Zij haakte haar arm in de zijne.

In een restaurant langs de zee aten zij meloen met ham (geen pastasciutta, daar werd zij te dik van, het was het eerste dat hem aan de rituelen die bij de film hoorden, herinnerde, een geheime, nabije schande te meer van het Ras van de Glimlach), gebakken garnalen, kreeften en inktvisjes.

'Waar denk je aan?'

'Aan jou,' zei hij. 'En jij?'

'Aan jou.'

'Goed zo. Je begint het te leren.'

'Ik had je niet verwacht,' zei Jia, 'je viel zomaar binnen in mijn kamer; ik was verrast, daarom was ik lelijk tegen je. Ik had je terug willen zien in het halve donker, tussen de rotsen en de bomen. Zoals ik je voor het eerst zag. Ik ben geschrokken vandaag, want je bent dezelfde niet meer.'

Zij dronken ijskoude, witte wijn.

'Het was zo klaar in de kamer en Violet zag je.'

'Mocht het niet?'

'En je was ook geschrokken. En zo onhandig. Je bloosde toen je Violet zag.'

'Niet waar.'

'Jawel. Vind je haar mooi? Opwindend voor een man? Opwindender dan ik?'

'Neen.' Jia was jonger, onvrouwelijker.

'Ik ken haar allang. Van in de Centro Sperimentale. Zij kan niet spelen, maar zij weet haar lichaam te gebruiken, hoe haar heupen en haar nek gracieus te bewegen, hoe haar grote, grijze ogen op te zetten. En iets anders kan zij ook. Bereiken wat zij wil. Zonder er moeite voor te doen krijgt zij filmrollen, publiciteit, geld, mannen. Mannen komen op haar af als vliegen.'

Haar ogen glansden, zij dronken cognac bij de koffie. De nacht scheen helder over de heuvels. Hij betaalde (hij had nog voor drie weken te leven, zuinig aan) en leidde haar op de dijk.

'De Grote Beer,' zei Jia in paniek, 'waar is de Grote Beer?'

Zij zochten, maar er waren niet genoeg sterren. Mensen in shantungpakken, met gedempte stemmen en gebaren, wandelden hun tegen. Een hond draalde hun achterna. Zouden zij hem meenemen?

'Ik zal hem temmen,' zei Jia.

'Dan heb je je witte stok er niet bij.'

'Ik ben niet blind.'

Hij vertelde haar hoe men honden temt in het halfduister, met een witte stok waarvan tien centimeter uiteinde zwart geverfd is.

'Voor de hond er achter komt dat het uiteinde niet bij het wit ophoudt en dat hij zijn sprongen anders moet uitrekenen, is hij al murw geslagen.'

'Zo hoort het. De slimste wint.'

'Altijd.'

'Wat zou je springen als je een hond was,' zei Jia. 'Ik zou je harde tikken geven en je zou je kop schudden en zoeken, zoeken.'

'Ik zou je bijten.'

Zij waren het dorp voorbij, langs de lage rotsen, waartegen het water opklaterde. In de zee lagen eilanden rots, als overgrote, voorhistorische nijlpaarden die gromden en blonken.

'De beesten.'

Jia bewoog haar tong tussen haar open lippen. 'Wat doen wij als zij het strand opklimmen? Jij moet ze doodmaken, je bent een man.'

'Zij zijn veel te dik, daar kan geen kogel door.'

'Toe, doe ze dood.'

'Zij blijven wel rustig.' Zij knielde in het zand. 'Zij zijn vreselijk,' fluisterde zij, 'zodra de lichten in het dorp doven, klimmen zij naar boven en met hun lange tongen likken zij de vrijers op die hier liggen, heel vlug, o, zij zijn zo verschrikkelijk.'

'Wij houden ze wel in het oog.'

'Wij zijn ook geen vrijers.'

Het water naderde in dichte rimpels.

'Neen,' zei hij. Stak twee sigaretten op, duwde er een in haar mond. Nam haar voet vast, knoopte de riem van haar sandaal los en wreef over haar tenen.

'Goed begin,' zei ze schamper.

Over haar enkel, het lichtbehaarde been, de welvingen van haar knie.

'Genoeg nu.'

'Waarom?'

'Zomaar. Genoeg.' Er was geen moedwil in haar stem. Zij is vals, dacht hij en greep haar arm, hoog bij de schouder en duwde haar naar beneden, maar zij gleed weg en zat met gekromde rug, gespannen, wakker.

'Pas op.' Haar stem floot.

'Dacht je dat ik een van je vriendjes uit het hotel was, met wie je spelletjes kan spelen?' Hij hoorde zijn eigen stem, die van de aangewakkerde en bedrogen boer, die van de speler die geen regels meer erkende.

'Ga verder.'

'Wat wil je dan?' Hij naderde. Uit de restaurants van de dijk klonk zigeunermuziek en zat in de baren. Hij ontspande zijn houding en zij liet er zich aan vangen; toen hij sprong, zich met een duwende voet van het zand afzette, was zij bijna verrast geweest. Maar het zand verschoof en hij reikte niet ver genoeg, zij was weggewenteld en achterovergevallen met gespreide benen.

'Kom niet aan mij...' Haar ene vuist hield zij gebald voor zich uit, niet afwerend of beschermend maar alsof zij een mes vasthield.

'Wees stil.'

'Je bent als alle mannen. Gulzig en laf. Je denkt omdat je mij te eten hebt gegeven, dat je mij aanvallen kan. Je hebt mij niet gekocht.'

'Je hebt mij hierheen gebracht. Je wist het van tevoren.' Haar innig, schamper lachje. 'De hele tijd dacht ik er aan. Ik dacht: Laat hem komen, nader, nader komen en dan mag hij voor mijn part...'

Hij stond recht en keek niet om. Het zand zat in zijn sandalen. Naar de muziek en naar het dorp gericht, hoorde hij haar 'Oe-hoe', een fluwelen kreetje. 'Ezel,' schreeuwde zij over het strand. Zij rende, omvatte hem. 'O, wat een muilezel ben je toch!'

'Ik ben niet koppig.'

'Ik wil je nooit meer, nooit meer zien.' Zij wreef haar neus tegen zijn borst.

'Gaan wij terug?'

Zij schudde haar verwilderd, bleek gezicht.

'Waarom niet?'

'Het mag niet.'

'Herbegin je weer?'

'O, moet ik het op een briefje schrijven, ezel!' riep zij en legde zijn hand in haar middel tegen de ongladde, brede riem, draaide haar heup tot zij goed in zijn hand lag. Zij wandelden moeilijk terwijl zij zich bij elke stap raakten. Hij begreep het pas op de dijk. Zij zaten lange tijd op een bank, keken de steeds schaarsere voorbijgangers na. 'Ik laat jou niet meer los.'

'Ik jou ook niet.' Het lag vreemd in zijn mond, bijna bitter.

6

De tijd – totnogtoe een aaneenschakeling van zon, strand, verdoving en het verdund wegspoelen van herinneringen met af en toe een verwondering als het beklimmen van de Sarrazenenheuvel of een onverwachts opspringen van het dienstmeisje Maria onder zijn handige vingers – was veranderd, onherkenbaar geworden. Ik ben ongeduldig, dacht Edward in de tuin van hotel Eden. Omdat hij te gauw was weggelopen, twee dagen geleden na de thee, nodigde mevrouw Leccini hem niet meer uit; in eenzelfde zenuwachtige beweging had hij ook laatst na een vlug en woest spel het dienstmeisje achtergelaten, dat onvoldaan en dankbaar was blijven slapen. (Hij had Jia kunnen betrekken in de bewegingen van het ronder, voller en soepeler lichaam, maar hij verdreef de gedachte snel.)

Hij was nu elke dag in hotel Eden. Hij had nog geld over voor een week, nadat hij een grijs linnen pak had gekocht en zwarte puntschoenen. Verder was mevrouw Leccini onverwachts met een elektriciteitsrekening voor de pinnen gekomen, en zij herinnerde zich niet dat zij het tuinhuis verhuurd had, alles inbegrepen. Zij zou zelfs volgende week een gasrekening aanbieden. Waar moest hij het geld vandaan halen? Hij kon zijn oom in Antwerpen schrijven. Of Carla? Zou zij al terug in Kortrijk zijn? Natuurlijk.

Jia, die zich liet schminken, zei: 'Meer zwart bij de ogen'.

Armando, de beroemde filmkapper, stootte verschrikte duivenkreetjes uit. 'Maar, schatje, dat zie je op de Geva-color, die zwarte strepen!'

'Het kan mij niet schelen, ik wil langwerpige ogen.'

'Met blauw, liefje! Met lichtblauwe veegjes in de hoek, schat, zo wil Gina het ook!'

'Omdat zij ronde ogen heeft, Armandino mio.'

Zij maakten ruzie met omhalen en verkleinwoordjes. Armando fladderde rond en eindelijk was zij klaar en vervoegde Edward in de tuin, stuurs mompelend, met hevig rode jukbeenderen en donkere smeer onder haar kin, haar haar in een bevlekte handdoek gewikkeld.

'Ga zitten.'

'Ik kan niet, want zo meteen breekt dit korset. Waar is Violet?'

'Ik weet het niet.'

'En zo-even stond je met haar te praten.'

'Palla riep haar weg.'

'Waarover hebben jullie gepraat? Wat zei zij?'

'Niets bijzonders.'

'Neen?'

'Neen.'

'Wat denk je als je hier zo alleen op de bank zit?'

'Hieraan.' Hij tikte haar onder de navel.

'O, jij vlugge. Is dat een manier om een jonge maagd te verleiden? Waar zijn de zachte woorden over de maan en de roos?'

De kapper riep: 'Jia, Sanmarco is er! Vlug!'

Het was te zien dat de regisseur op het terrein verscheen; bij de spotlights en de motoren versnelde, verhoogde de drukte, de assistenten draafden, anderen duwden de kijkers voor het hotelhek weg. Sanmarco, die voornamelijk bekend was geworden omdat hij hoofddeksels verzamelde, droeg vandaag een Mexicaans kalotje met kleurige linten in de nek. Met zijn wit, smal bovenlijf leek hij op een schooljongen die voor piraat speelde. Hij nam de micro op en schreeuwde zinloos in de drukke, wilde tuin: 'Vlugger.' Knipoogde bij de camera, knikte en riep door de micro: 'Waar is Palla?'

Jia rende op de beweeglijke, snorrende cirkel af. Violet had hem gezegd dat Jia een kind was, waar zij op moest letten als een moeder, anders gebeurden er ongelukken. Wat betekende het? Violet behandelde Jia eerder als een mindere; althans waar hij bij was. Verveeld, verwend, deed zij zich boeken, poederdoos of whiskyglas aanreiken door Jia, die steeds opnieuw weerbarstig en verwonderd reageerde; dus deed Violet het omdat hij erbij was. Zij wist wat zij wilde, Violet, maar wat wilde zij?

Er was een Amerikaan in het hotel die aan het scenario van 'I cospiratori' had meegewerkt, een roodharige jongeman met een oud gezicht. Hij bleef speciaal in Italië voor Violet. Op een avond, toen zij samen uit Genua waren teruggekeerd in zijn Mercedes, had hij haar, zoals zij het noemde, geweld aangedaan. Sindsdien leefde hij in spijt, trachtte haar te benaderen om het weer goed te maken. Zij bleef onverzoenlijk, nam briljanten, een korte pelsmantel en nieuwe jurken aan en snauwde hem af. Of zei kinderlijk: 'Doe de deur dicht, Jerry. Geef mij die tas eens aan, Jerry,' en streelde sloom het haar van haar voorhoofd, terwijl haar elleboog opgericht bleef en haar borst zich strekte.

Banco was ook verliefd op haar, maar als een worm. Als hij dronken was, ontsnapten hem stukjes bange liefdesverklaringen. De efeeb Ricco tekende talloze portretten van haar. 'Ik zou met haar trouwen, als zij niet zo gemeen was tegen kelners,' beweerde hij. 'Al ben ik niet van de Partij, haar manier om met de kelners om te gaan, revolteert mij.'

De zuster van Sanmarco, de lelijke Regina, zat naast Edward neer. 'Gij zijt hier niet weg te slaan. Bevalt het landschap van Lotorne u dan zozeer?'

'Eerder deze kalme, rustige tuin.'

Haar broer ging geweldig te keer in zijn micro. Op de maat van zijn verhakkelde stem reed de camerawagen over en weer en hielden de assistenten de schermen schuin om het licht in hun klare, hoekige hinderlaag te vangen.

'De kunst,' zei Regina, 'moet de natuur verdringen en stukmaken.' In haar flets gezicht zat een schuine, felle mond. Haar uitspraken waren tastend en met een ironische ondertoon, zodat zij ze onmiddellijk in twijfel trekken kon. Haar angst kwam voort uit haar lelijkheid, de mond duidde haar weerzin hierover aan.

'Om iets te scheppen moet men iets vernietigen, is dat het?'

'Maar wat vernietigd wordt...' Het klonk te heftig, te persoonlijk, zij voelde het en wees naar Palla met haar kin. 'Kijk. Pas goed op. Nu zal hij Seymandi bedekken met zijn schouder.'

Palla deed het. Bijna onmerkbaar drong Palla's volle, gebulte schouder naar boven en zat tussen de camera en het teder gezicht van Rosie Seymandi.

'Hij is zo sluw. Hij speelt iedereen van het doek. Een keiharde meneer, onze Palla. Voor een betere belichting zou hij zijn moeder platduwen. Nu weet ik wel dat je anders geen betere belichting krijgt, maar Palla heeft er nog genoegen bij. Wat denk je dat hij deed voor hij filmacteur werd? Of heeft Venturi je dit al verteld?' (Venturi, een naam op de betaallijst.) 'Neen.'

'Kelner in een sportcafé. Toen is hij masseur geworden. Hulpmasseur van de voetballers. Daarna heeft hij Allessio ontmoet en is hij bij hem gaan wonen, twee jaar lang. En de beste films van Allessio hebben hem gelanceerd. Hij trouwde met Isa Mancini, die vijftien jaar ouder was dan hij en beroemd was onder Mussolini. Toen zij bij de bevrijding haar kwamen halen om haar haar af te knippen, vluchtte hij weer bij Allessio. Die met hem 'De zwarte Ridder' heeft gemaakt, eerste prijs van zes festivals. Nu verdient hij achttien à twintig miljoen per film maar zijn kelnersmentaliteit heeft hij behouden.'

'Hij speelt niet slecht.'

'Neen,' gaf zij toe, 'het is voldoende dat hij onder de lichten komt en wat ronddraait, en op het doek zien de mensen alleen maar Palla. Maar geloof niet dat hij er niet voor werkt! Als je wist hoe hij Sanmarco lastig valt! Mijn broer haat hem. Ik ook.'

'Waarom gebruikt je broer hem dan?' Zij keek hem aan, een moeder wiens zoon wordt geplaagd door zijn vriendjes en die zich komt beklagen. Medelijden en verwondering.

'Welke mensen, denk je dan, maken een film? Heb je dan nog nooit producteurs vrij rond zien lopen?'

'Vrij nog in hun kooi. Zijn het dan werkelijk die geile, dikke beursmannen met havanna's in de bek, zoals in de tekenmoppen?'

'Je bent een ongelovige; ik zal je eens meenemen.'

'Dank u. Liever niet.'

Hij bood haar te drinken aan. De tuin werd geschonden, doorboord door de hysterische stemmen, de scherpe lampen, de halfnaakte komedianten en hun handlangers. 'Ik zal jou meenemen,' dat had Carla ook gezegd, zij zou de wereld voor hem openen en het was geëindigd als in poker: bluffen en blootleggen en verliezen, er was niets aan te doen. Carla, mooi en sportief, had verloren. Of had hij verloren? Het was een bedrieglijk spelletje.

Het fletse gezicht sprak over hoteltarieven, het weder, haar broer. Als er een huis was, een tehuis waar ik heen kon, waar iemand mij verwacht, dacht Edward.

'Wat deed u voor u aan de film ging?'

Zij durfde het niet te zeggen, hij moest beloven dat hij het zou verzwijgen, vooral aan Venturi. Toen lispelde zij het: 'Onderwijzeres.' Hij had het kunnen weten. De afdoende toon, de opgerichte houding. Met de kwade kinderen, de filmmensen, had zij gemakkelijk spel.

'Dit werk doe ik om mijn broer te helpen.'

'Maar gij verdient er toch veel meer mee.'

'Het is het niet waard. Iedereen haat mij, want ik ben de waakhond. Ik moet zorgen dat Ricco zijn nek niet breekt als hij op het dak loopt om zijn vriendjes te verbluffen, uitkijken of Silvana en Vio-

let niet tegelijk bij de kapper komen, anders trekken zij elkaars haar uit, loeren of Jia Venturi thuis-
komt voor elf uur...' Zij wachtte.

'Gij houdt niet van Jia, nietwaar?'

'Neen. Van geen van die meiden die aan niets anders denken dan plezier te maken en die als er iets
misloopt een man opscharrelen of van mij geld komen lenen; weten zij wat het is, een geweten te hebben, zij die toevallig aangename snuitjes hebben?
En er van leven.'

Eigenlijk zei zij het tegen hem, zij bedoelde: ook
jij bent te koop, of te huur. Zij was onderwijzeres en
had kwade kinderen gauw door, hij blikte haar on-
schuldig aan, als een die jeukpoeder op juffrouws
stoel gestrooid heeft.

De graaf kwam langs, nam zijn strohoed af en
boog. 'Mevrouw Smeralda is op hol door het hotel,'
zei hij. 'U kan haar beter gaan zoeken.' Verwijtend
zette hij zijn wandelgang op de jichtige ruitersbe-
nen verder.

'Ik moet gaan. Die vrouw is getrouwd met de
timmerman hier uit Lotorne, en zij wil absoluut
aan de film. Zij hebben haar wijsgemaakt, dat Palla
dodelijk verliefd is op haar en sindsdien valt zij iedereen, zelfs Sanmarco lastig.'

Alleen in zijn ligstoel, met een Martini voor zich, zag hij de middag verlopen; de schermen die de zon opvingen, werden in een langzaam nauwer getrokken cirkel verplaatst, terwijl het stierengevecht, de dansexhibitie, de schreeuwwedstrijd van het Ras van de Glimlach onvermoeid doorraasden. Hij dacht aan een brief die hij naar Carla zou kunnen zenden. 'Liefste, als ik je nog zo noemen mag, ik lig sedert een week te bed, en de dokter beweert...' Hij kon ook beter niet op antwoord wachten om naar zijn oom te schrijven. 'Liefste oom Willem. Tengevolge van een ongelukkige val die mij (luchtig te schrijven zoals oom Willem, een vroegere marine-officier ook luchtig zijn aanvaringen weergaf), die mij bijna twee ribben heeft gekost, ben ik verplicht...' Een van de twee zou wel toebijten. Anders was er nog Christian. 'Christian, ik ben verliefd op een Italiaans meisje dat Jia heet. Waarmee ik nog niets bereikt heb tot nog toe, maar het zal niet lang duren voor je Edward je melden kan dat une très belle et très douce princesse hare eer heeft verloren, maar ik heb geen geld meer om kousen te kopen, mijn laatste paar is vanmorgen stukgegaan en ik moet scheermesjes kopen (het waren waarheden als leugens, schermutselingen, verscholen veinzen) en ik kan nog eten precies tot volgende week, dus stuur mij vijfduizend frank minstens...'

Een gefluit in de microfoon. De zon was weggetrokken, de besmeerden en de helpers zwermden uiteen. 'Wacht nog even,' zei Jia, 'het is nog niet afgelopen.'

Een dikke vrouw in een zomerkleed met hevige bloemen en een tulband op zei angstig iets tegen Sanmarco, die zijn schouders ophaalde. 'U heeft het mij beloofd,' riep zij; haar omwalde ogen lieten hem niet los.

'Zij wil aan de film, het is een vrouw uit het dorp,' zei Jia.

Nadat Palla iets aan Sanmarco's oor gefluisterd had, veranderde de regisseur op slag. 'Goed, mevrouw,' zei hij zoetsappig. 'Wij zullen meteen een proef nemen, heel vlug.'

De vrouw kuste hem op de wang en schikte haar tulband, trok haar jurk rond haar hangborsten dichter. Palla nam vier, vijf schminksticks en wreef een krijtwitte laag op haar neus, wangen en kin, op haar voorhoofd trok hij een paarse streep. 'U bent bezorgd,' legde hij uit, 'dat moet te zien zijn in een kleurenfilm.'

'Een kleurenfilm,' juichte zij en wrong zich in bochten.

'Zouden wij niet beter de proef uitstellen tot morgen?' vroeg Sanmarco.

'O neen. Vandaag, vandaag nog. Ik voel dat ik goed zal spelen.'

De assistenten lachten geluidloos en achter hun handen, Sanmarco berispte hen streng en mevrouw Smeralda veranderde in een monsterlijke totempaal. Palla trok haar tulband weg en toen zij geschrokken haar kort acajou-geverfd haar wilde schikken, omklemde hij haar schouders en gooide een bus poeder over haar haren leeg, wreef er vlug met de vingertoppen in. 'U bent voor uw tijd grijs geworden, want uw kindje is zopas gestorven,' zei hij met nadruk. Sanmarco draaide zich om en hield zich, ineengedoken van het lachten, aan Ricco vast.

'Mamma mia,' grinnikte Jia, 'die Palla, wat een varken!'

Sanmarco hief een vinger. 'Nu, mevrouw, u komt van daar en...'

'Maar haar decolleté is niet te zien,' kwam Ricco tussen.

De vrouw gaf gretig toe, zij prutste aan haar jurk

tot haar borst naakt tot aan de tepels verscheen, gegolfd en wit. Palla verdeelde er poeder over en tekende de gleuf tussen de borsten bij met een blauwe stick. 'Prachtig,' verklaarden de assistenten, 'mooier dan die van Gina.' De vrouw, gelukkig en trots, geloofde het.

'Zenuwachtig?' vroeg Palla.

'Een beetje.' Zij knipperde met de dikgeoliede, blauwe oogleden.

'Niet bang zijn, ik ben er.' Palla drukte haar hand vast. Daar de politieagenten weggegaan waren om vijf uur, drongen de kijkers tot een smalle kring om Sanmarco en moedigden mevrouw Smeralda aan.

'Jammer dat Giulio je niet ziet,' zei een dorpsvrouw, 'wat zou hij trots zijn.'

'Lichten,' beval Sanmarco, en gaf aanwijzingen. 'U komt van daar gelopen, want gij hebt gehoord dat uw kindje gestorven is. En... ineens ziet gij uw minnaar...'

'Dat ben ik.' Palla wierp haar zwoele blikken toe.

'Gij schrikt... en gij zegt: "O, mio amore"'

'Maar het regent.' Banco drong naar voor.

'Eh... natuurlijk,' zei Sanmarco. 'Jongens, de regenmachine.'

'Neen, daar zorg ik wel voor.' Banco verdween.

Sanmarco riep bevelen door de microfoon naar de operateurs. Iedereen was dol en de dorpelingen roken onraad, maar dorsten het niet laten blijken.

'Stilte.'

'Opgepast.'

– 'Actie!'

Een assistent sloeg de ciak dicht en kondigde aan: 'Provino della signora Smeralda'.

'Vooruit!' gilde Sanmarco.

'Vooruit!' riepen de assistenten.

Aarzelend zette de onwereldse verschijning zich in beweging bij het hek.

'Lopen!' – 'Rennen!'

Haar naakte borst zwabberde, alsook haar gewelfde buik, het gepoederd haar boven het verrukte masker stond overeind, een grijs nest.

'Vlugger!'

Met wijdgespreide stappen rende zij, op hoge hakken.

'Stop!' – 'Schrikken!' Het wezen hield afwerend haar bleke, dikke armen voor zich en haar blik, bijna onzichtbaar tussen de verfvlekken, was uitzinnig. 'Mio amore,' stotterde zij en snikkend viel zij Palla om de hals, die haar van zich afstootte, want de schmink ging eraf. De troep gierde nu voluit.

'Een dure grap,' zei Edward.

'Waarom?'

'Nu, de lichten, de film...'

'Je dacht toch nooit dat er pellicule in de camera zat,' deed Jia verwonderd en hij was gekwetst omdat hij opgegaan was in het spel, er gedeeltelijk ingelopen was als Smeralda.

'Uitstekend,' zei Sanmarco, 'uitstekend. Nu precies zo overdoen, nog ietsje beter als het kan, want nu komt de regen erbij.'

Palla hield de snikkende vrouw in bedwang.

'Het zijn alleen mijn zenuwen,' bracht Smeralda er hakkelend uit, 'het is zo belangrijk, ik heb er zo lang op gewacht.'

'Het was prachtig,' zei Palla, 'maar indien het mogelijk is, moet u nog een beetje harder schrikken. Niet bang worden. Niemand zal u opeten. En 'mio amore' met een ietsje meer gevoel, ietsje tederder. U bent toch al eens verliefd geweest, nietwaar, mevrouw?'

'Ja zeker.' Zij veegde haar tranen weg.

'Actie!' Het herbegon. De omstanders schaterden. Alleen de vrouw zag het niet, die waggelde, met Ricco en Banco naast zich die haar met twee

Rosie deelde haar sigaretten uit, maar alleen zij en Banco rookten ze. Zij hadden een weeïge kruidengeur. De grammofoon speelde onwezenlijke, barre muziek, met lange halen van de trombone, die de klanken onrustig maakten en verschoven. Violet staarde Edward aan, haar heup lag gebeeldhouwd en gegolfd op het bed. 'Arme Smeralda,' zei zij, 'het is zo'n schat, zij heeft al vier foto's met mijn handtekening erop.'

Edward dacht: Ik verlies iets elke dag en het is niet alleen de tijd van een dag. Waar leid ik dit steeds hernieuwd verlies heen? De man met zijn trombone blaast zijn verlies weg, en hij is moe daarna en vreemd verblijd en weer open en wakker voor een volgende dag. Ik, ik zit op een steen en kijk, en er is niets te bekijken. Een waterplas, die rimpelt zonder dat je het merkt.

Zij zaten, de bel voor het diner der techniekers ging (Edward werd vertrouwd met de dagelijkse gang van het hotel en van de film), zij praatten, Rosie en Jia over haarverven, Banco en Violet over muziek. Zij zei gemeenplaatsen en Banco antwoordde zoals zij het verwachtte, verschafte haar een springplank voor de vage zinnen die zij ergens had gelezen. Eerder gehoord, dacht Edward toen, want Violet las alleen pocketboeken, waarvan het blonde meisje op de omslag op haar leek of waarvan de heldin – dit was te lezen op de achterkant van het boek of reeds in de titel – Violet heette, of Viola.

Daarna besloten zij allen samen naar de bioscoop te gaan.

'Dus ook vanavond niet,' fluisterde hij, toen hij met Jia voor liep. – 'Neen,' zei het meisje, en lachte naar Violet en Rosie. Violet naderde, gaf hem een arm en Jia meteen ook.

'Wat moet je met zo'n harem, vissertje?' plaagde Violet.

'Wat je ook verwacht.'

'Olala,' riepen de meisjes samen. Het dorp opnieuw met de klaterende geluiden en het water dat gromde. Jia was ontevreden, Violet genoot daarvan en Rosie en Banco liepen in hun rookwereld, die meeschuivende kamer.

Zijn lichaam deinde en raakte gedrukt de meisjes, de onrust ontwaakte weer. Eigenlijk was hij opgelucht geweest toen het meisje geweigerd had, en hij niets te vervullen had, geen dromen, geen lichaam te stillen.

'Hoe ga ik aan haar ten onder?'

7

Hij bleef vier lange dagen in Perenna, sliep overdag en speelde 's avonds briscola met de genezen Nonno. Mevrouw Leccini, wanneer zij hem in de tuin ontmoette, groette kort. Hij had het goed kunnen maken, de vinger op de wonde leggen en haar aldus helen, en vroeger had hij het zeker gedaan, want hij had maar voor drie dagen meer te eten. Maar een onverklaarbare trots, een tot nog toe ongekend harnas knelde hem. Wanneer en hoe was het begonnen? Jia had mevrouw Leccini's telefoonnummer en zijn adres, maar liet geen teken van leven horen. Hij liet het dienstmeisje naderen, dat hem leerde kennen, zich graag naar hem plooide met een milde, bijna wanhopige overgave. De tuinier wist het en beloerde Edward. Zij zouden dit jaar nog trouwen, zei Maria.

Nonno had een flinke duw gekregen en was twintig jaar ouder geworden. Hij zat in een grofgebouwd, zwartgelakt karretje dat zijn zoon, tegen al zijn protesten in, van de sergeant-majoor geleend had, wiens vrouw lam geweest was. Het been zou niet meer aan mekaar groeien, hij was te oud, zei Nonno. Zijn humeur was alleen op te wekken met ontelbare glazen wijn. Als voorwendsel daarvoor speelden Edward en hij kaart, een liter de partij. Elke morgen reed Edward de luidkeels zingende Nonno naar huis, waar zijn zoon wachtte om uit te varen tot hij hem in bed had geholpen. Het grote huis, waar mevrouw Leccini in dwaalde, baadde in stilte. Soms zaten er duiven in de tuin, hij bekeek hun zinloos gewandel. Soms schoven zij hun bekken in elkaar, rukten koppen op en neer als een pompzwengel, staarden met ronde, domme ogen in de omtrek en pikten dan weer in hun eigen veren. Hij was gelukkig geweest de eerste week in Perenna, werd hij nu gewaar, gereed voor elke nieuwe dag, elke nieuwe zee, nieuwe heuvels. Hij vond de toestand niet terug.

Hij verbeeldde zich hoe Jia praatte nu tegen de hotelgasten. Hoe zij zich met een ingespannen grijnsje de ogen verfde, haar mond met de stift kleurde, de omtrek van de lippen met een dieper rood gekleurd potlood tekende, soms op niet te voorziene dagen was de onderlip dikker aangestipt, waren de wenkbrauwen hoger, gebogen gevuld. En moeilijker had zijn herinnering al vat op het gezicht dat zich opende en in schokken ontspande, toen de krokodil uit het water kwam gekropen op de twee voorste poten.

Op een keer was hij bij Jia gebleven tijdens een nachtopname in hotel Eden, tussen de zoemende camera's, de gloeiende schijnwerpers, de slapende assistenten, de apatische acteurs rond Sanmarco, de bedrijvige, de schreeuwer. 'Pas op,' zei Jia, 'dat hij je niet ziet, hij verdraagt geen vreemden bij binnenopnamen.'

'Ook je minnaars niet?'

'Je bent mijn minnaar niet.' Zij had gedraald met haar lage stem die zich hernam: 'Je gaat je toch niet inbeelden dat ik verliefd op je ben?'

'Natuurlijk niet.'

'Wat is dat lawaai daar achter?' snauwde Sanmarco.

'Ik kan niet meer,' zuchtte de graaf. Hij moest alleen het zinnetje 'Gij lijkt op een meermin, Miranda' zeggen tot een danseres. 'Hoe gaat het ook weer?'

'Gij lijkt op een meermin, Miranda,' zei Sanmarco.

'O ja, natuurlijk.'

Sanmarco had de graaf 'ontdekt' in zijn bridge-club. Sedert men gewillige straattypes oppikte om hoofdrollen te laten spelen, zou hij mensen uit de hoge wereld lanceren. Goede publiciteit, hadden de producteurs geknikt. Ondertussen mocht Sanmarco elk zinnetje, elk gebaar tien keer laten voordoen door een speciale assistent. Maar die sliep nu.

'Motor.'

'Wat moet ik zeggen?' vroeg de graaf.

'Gij lijkt op een meermin, Miranda,' zei Sanmarco zachtjes.

'Hij is oud,' siste Jia, 'heel oud en heel rijk.'

'Ik kan niet meer.' De graaf begaf het. 'Ik moet een sandwich hebben.'

De actie werd stilgelegd. Op alle divans en stoelen, op de dikke tapijten zaten en lagen techniekers, die mekaar aflosten. Banco waaide Sanmarco koelte tegen met een krant. Alleen de graaf, een Toscaanse sigaar in de mondhoek, babbelde opgewekt.

'Ik heb honger,' zei Edward. – 'Ik ook.' Op de trappen van het hotel buiten hadden ze sandwiches gegeten. Vleermuizen scheerden langs de dichte bomen. 'Ben ik een vleermuis, Edward?' – 'Ja.' –

'Zuig ik je bloed leeg?' – 'Ja.' – 'Wat ben ik nog?' – 'Een poema.' – 'Wat nog?' – 'Alle beesten.' – 'Ben ik een boot?' – 'Neen, ik mag niet op je varen.' – 'Neen,' zei zij gedwee. 'Ik heb gedroomd dat ik in een taart zat in de vorm van een boot. Daar moest ik dan plots uitspringen en beginnen te dansen op een tafel voor dikke mannen in smoking.'

'Dat heb je overgehouden uit "Singing in the Rain".'

'En dan nemen zij mij vast, de dikke mannen, allemaal samen en zij vechten om het eerst. En een voor een nemen zij mij. Als alles gebeurd is, wordt het heel stil en dan komt er een zoals jij, lang en bruin en hij zingt, wij zingen samen.' Zij neuriede.

'Moeten de dikke mannen nog komen? Of zijn zij al voorbij geweest? Wil je mij vertellen dat er dikke mannen in smoking geweest zijn, en durf je het niet? Kleed je er liever een suikeren verhaaltje rond?' Zij huilde en liep de trappen op.

Na de vier lange dagen kwam een ansichtkaart uit Lotorne. 'Ik heb gedaan met filmen. Er is een feest morgenavond. Wil je komen? Wij zouden het erg leuk vinden, Violet en ik. Jia.'

Hij ging dezelfde middag en vond in de hal Violet en Palla die pingpong speelden. Palla won gemakkelijk met keiharde, ongevoelige smashes.

'Ciao, capitano,' zei Palla.

'Waar ben je gebleven, liefje?' Violet kuste hem op de wang.

'Ik ben dood geweest.'

'Ahaha. Pietje de Dood is hier.' Palla bekneedde Violets schouder door haar witte trui. Ik ben de baas, zei de sterke, gemanicureerde hand.

Toen hij naar Jia vroeg, grinnikte Violet hartelijk. 'Heb je dan niet gehoord dat onze nationale tragédienne Sabina Corra is aangekomen? Zij heeft Jia een rol beloofd in haar nieuwe revue. Kleine Jia is niet van haar weg te schoppen.'

'Dat was jij vroeger ook niet, schatje.'

'Palla, ik ken het mens met moeite!'

'Woonde je dan niet in Albergo Principe twee jaar geleden? Op dezelfde verdieping?'

'Nu en dan?'

'Hahaha.'

Edward keek ostentatief van hen weg. Het waren altijd dezelfde geschiedenissen, de steeds herhaalde allusies, grof en zonder zin. Zodra een naam in het gesprek te berde kwam, koppelde men er automatisch een andere aan, het liefst mannen en vrouwen onder elkaar, of met geldkwesties en filmrollen erbij. Niemand lachte er om, het was een overleve-ring waarvan men de vormen respecteerde, een traditie waar nijd en rancune volkomen gaaf in pasten en vorm kregen. Met dezelfde weke solida-riteit dronk het Ras van de Glimlach in het hotel Eden – Jia inbegrepen – veertien dagen lang niets anders dan wodka of chartreuse, of droeg een witte zijden sjaal.

Palla bood Edward een whisky aan. 'Je vindt het leuk hier, hè?'

'Ja.'

'Ik ook, olala, ik stik hier,' zei Violet.

Palla wilde hem uitlokken. 'Weet je dat ik een uit-stekend mensenkenner ben? Wel in jouw geval heb ik mij ziek gezocht, ik heb je goed bestudeerd, maar ik geef het op, ik kan er niet achter komen.'

'Waarachter?'

'Wat je bent. Wat je doet. Een tijdje geleden dacht ik dat je een kunstschilder kon zijn.'

'Neen, dat is het niet.'

'Jia zelf weet het niet eens,' zei Violet verwijtend.

'Zij heeft het mij niet gevraagd.'

'Je bent een muzikant, hè, liefje?'

'Neen,' zei hij berekend traag. 'Ik doe helemaal niets.'

'Hè!' deed Palla. 'Niets?'

'Mag ik?'

'Natuurlijk. Maar ik dacht dat je geen geld had. Dat zei Jia tenminste.'

Edward voelde het bloed in zijn hoofd gonzen. De knaging zette op, de vertrouwde vernedering. Toen de woede. Hoe had Jia het geweten? O ja, hij had niet genoeg geld bij zich gehad laatst om te betalen in het dure restaurant op de dijk.

'En gelukkig nog dat zij het verklapt heeft,' zei Palla, 'anders had je vierduizend lire moeten betalen.'

'Ik? Aan wie?'

'Je had het niet moeten zeggen. Jia krabt je de ogen uit,' zei Violet.

'Heb je dan verleden week niet in de camera gekeken?'

Hij knikte verdwaasd. Hij had het aan Sanmarco gevraagd en de regisseur had blijmoedig, bijna aandringerig toegestemd en hem naar de camerawagen geleid, naast hem gestaan bij een travelling. Hij herinnerde zich dat de assistenten en Banco vreemd gegrijnsd hadden, maar hij had er geen acht op geslagen, zij verzonnen altijd grapjes. Wat was het geweest?

'Ja, schat, iedereen die in de camera kijkt behalve de cameraman en Sanmarco moet boete betalen. En wie op de wagen rijdt, liefje, betaalt twee flessen champagne.'

'Heeft Jia die dan betaald?'

'Zij zei aan Sanmarco dat je geen geld had.'

'Ik heb ook geen.'

'Waar leef je dan van?'

'Ik leef niet.'

Zonder zijn whisky leeg te drinken ging hij de hal uit. Bij de garage en het autopark, op weg naar huis, hield een kleine man hem tegen. 'Dottore, dottore. U bent de dottore die bij la signora Leccini woont, non e vero? U bent een goed man. Niet zoals die anderen allemaal. Wilt u soms even terug naar het hotel gaan met mij?'

'Waarom?'

'Anders laten zij mij niet binnen.'

'Ik ga niet terug.'

'Heeft u dan mijn vrouw niet gezien? Zij noemt zich nu Smeralda, een dikke vrouw met rood haar?'

'Bent u dan de timmerman?'

Het platte, grauwe kopje knikte gretig. 'Ik ben haar wettige man en men ontneemt mij mijn wettige vrouw.' Hij greep Edwards voorarm en liet hem meteen weer los.

'Mag ik u iets aanbieden, dottore. Dan rust u even uit, en als u dan terug naar binnen gaat...'

'Neen.'

'Kom, dottore, hier in de schaduw.' In een overmoedige, uiterste poging duwde hij Edward naar het terras van het nabije café. 'Wat drinkt u, dottore, wat drinkt u?'

'Een bier.'

'Niets anders? Zeker? Geen likeurtje?'

'Neen.'

Het mannetje keek verslagen voor zich uit en krabde op zijn schedel. Toen de kelner weg was, zei hij. 'Ik zou er de politie willen bijhalen.'

'Waarom niet?'

'Ik durf niet. Mijn moeder leeft nog. Zij zou er haar dood aan halen. En toch dwingt mijn vrouw mij er toe. Ik ben haar wettige man.'

'Maar is zij wel in het hotel? Ik heb haar niet gezien.'

'Natuurlijk niet.' Na de oprisping viel zijn stem meteen. Hij dronk, slikte. 'Zij is verliefd, althans zij denkt het, op Stannelli. Die met zijn monocle. Die de generaal speelt in de film. Zij zegt het mij zelf, als

118

ze thuis komt om eten te maken voor twee, drie dagen op voorhand – bedenk het eens, dottore, spaghetti voor twee, drie dagen! – En de kinderen, zij zegt het zelf, zij geeft er niet meer om sedert zij die acteur ontmoet heeft. Wat moet ik doen?' Hij sloeg op de tafelrand. 'Mijn familie is uit elkaar gerukt door de film!' riep hij en Edward zag hoe de vertoning op en neer deinde in zijn relaas, hoe de vertoning het won van zijn gevoel en echter werd (gruwelijk, als in hun opera) dan elk mogelijk gevoel. 'Een lange man, die Engels spreekt, dottore, gij moet hem kennen. En zij zal het geld van haar tante uit het klooster weghalen en naar Hollywood vertrekken!' Hij drukte zijn handpalmen tegen zijn slapen, wiegde het geknelde hoofd.

Op de weg kwam een stoet voorbij, een kleurige bende die traag, ingehouden ging rond een kleine, zwaargebouwde vrouw die een kleine jongen of een dwerg met helblond haar aan de arm had. Edward herkende Sabina Corra en naast haar, aan haar linkerzijde, de even grote maar spitsere silhouet van Jia. Twee jongemannen in bebloemde hemden en shorts volgden hen. Een grijze heer in smetteloos wit pak hield boven Sabina Corra's hoofd een parasol. Zij zwegen en zelfs het geklepper van hun houten sandalen was gedoofd in een aura van stilte, opgeslorpt door het hevig zonlicht. Sabina Corra met een zonnebril in haar gezicht dat met olie ingesmeerd was, leek een reuzenkikker, die verkleed en razend kon opspringen elk ogenblik, uit de stoet breken en het landschap in helle scherven kon slaan. Had zij de macht over de menselijke dingen? Zij liep zo.

Jia naast haar, de dienares, stond klaar om haar woorden, haar gebaren op te vangen en te vereren. Edward voelde zijn vernedering voor Palla en Violet van daarnet opgeheven, nu hij haar aandachtig en verlaagd zag. Er was een onmacht in haar gedwongen vertraagde stap. Hij keek haar na, de dag liep als zand tussen de vingers. Terwijl hij op de bus wachtte – hij had de timmerman verklapt waar een opening was in de tuin die op de rotsen uitgaf, langswaar Jia soms laat des nachts binnengleed – dacht hij: 'Ik kan niets meer verdragen. Hoe vlucht ik weer!'

Als het zo bleef duren kon hij beter een abonnement nemen op de bus Perenna-Lotorne. Maar het zou niet duren. Haar film was over, zij zou weldra naar Rome terugkeren, naar haar impresario, haar oom Turi, zoals zij hem noemde. Wat was er nog te doen? Zij had medelijden gehad, de champagne voor hem betaald terwijl iedereen in het hotel het duidelijk merkte, zij had te koop gelopen met haar offer. Hij kon nog naar het hotel telefoneren, enkele smalende woorden zeggen.

Kon hij niet nog in de stoet breken, als een rugbyspeler in een heiligenprocessie, als een vos in een kippenhok? Vroeger had hij het misschien gedaan. Hij was vijfentwintig nu. Wat was er over hem gekomen? In welke vorm was de hapering, de onzekerheid ingetreden en wanneer? Met de dood van de dokter, zijn vader? De oorlog had hij best kunnen gebruiken. Alleen in de verwarring, opgeheven, gesterkt, veranderd had hij een soldaat kunnen zijn, die men beveelt, die het kwaad doet omdat hij niet anders kan, het verplicht wordt door onafwendbare wetten. Een mes, dacht hij, een stengun. Vrouwen worden er ook verliefd op, kronkelen er rond. Hij dacht aan de verrukking waarmede hij de bommen had horen vallen gedurende de oorlog (en hij zijn grootmoeder en zijn vader doodsbang naar de kelder hoorde lopen) en hoe hij, alleen op de zolder, de doorflitste hemel afvoerde en wilde dat het bleef duren, duren, met een kloppend hart. Nu was er geen ruimte beschikbaar meer voor die

energie, voor die ogenblikken van weerzin en gevlamde trots. Hij kon ze niet weerhouden, die
ogenblikken, hij wilde het niet meer.

omdat hij jonger en sterker was.) Zijn vader had jaren eerder moeten doodgaan.

'U lijkt op iemand die ik ken,' zei Edward.

'Het klinkt niet vleiend.'

'Neen. Ik vind het walglijk.'

'U bent zeer onbeleefd.'

'Het spijt mij,' hakkelde Edward. 'Excuseer mij.'

De kelner rolde Nonno naar het terras en hij vluchtte gauw het nachtelijk dorp in, dat zoemde met Duitse liederen en mondharmonica's. Ontmoetingen ontspoorden. Gesprekken bleven stilstaan, als hield hij ze tegen met de hand en veranderde ze in een stilstaand, giftig water. Hij kon niet meer alleen zijn en kon niemand verdragen. 'Ik moet het leren. Een blijde, eenzame ruimte met mij mee te dragen. Het kan.'

Toen hij zijn tuinhuis bereikte, merkte hij dat hij vergeten had het licht uit te doen. Neen, hij was weggeweest bij klaarlichte dag. Dacht het dienstmeisje dat hij niet eerder dan vier, vijf uur in de morgen zou thuiskomen als gewoonlijk en snuffelde zij? Hij liep licht langs de heesters. Op zijn bed zat Jia en hield een witte poes op haar schoot.

'Ciao.'

'Ciao. Je hebt je goed verstopt, Edward.' Haar gezicht was gezwollen en dikbepoederd.

'Heb je dan lang moeten zoeken?'

'Neen.'

'Hoe ben je gekomen?'

'Banco heeft mij gebracht.'

Bereikbaar en dichtbij. Het was zoals vroeger, een herhaaldelijk gespeeld en geloofd begin.

'Je woont hier mooi. Bij het water. Je hoort het goed 's avonds.'

In een hoek van de kamer stonden twee nieuwe, zware koffers.

'Wees niet bang. Zij blijven niet lang, ik wilde je alleen even zien voor ik een hotel zocht.'

'Ga je dan niet naar Rome?'

Een lang vermoede en zichtbaar wordende golf zette aan, aan de bijna trotse houding van het hoofd, aan de achterovergedrukte schouders, aan de onderlip waarin haar tanden zaten en hij had net een stap gedaan, niet naar haar toe maar naast haar, alsof hij op het bed wilde gaan zitten, toen zij schuin naast zijn lichaam viel en de kat wegsprong. Haar gezicht lag in zijn elleboog, die koel werd en nat.

'Violet!' riep zij gedrukt en zei iets en hij dacht: Violet is dom en wild. Een auto-ongeluk in de vlugge Jaguar. Een bloedvergiftiging van oesters of mosselen in een maand zonder r.

'Met Palla,' verstond hij, 'zij trouwen in Rome. Het staat in alle kranten. Zonder dat zij mij één woord hebben gezegd. Ik wist nergens van.'

'Wat heb ik daar mee te maken?' zei hij koud en gemakkelijk.

'Niets. Je hebt niets met mij te maken.'

Hij gooide haar een handdoek toe.

'Ik ben het hotel uitgezet.'

Zij wreef spuwsel over haar oogleden, vertelde terwijl zij dicht bij het handspiegeltje keek. Het was een verraderlijke streek van Regina Sanmarco geweest. De administratie van de film had haar beloofd dat zij voor de duur der opnamen gratis in het hotel Eden logeren en eten kon. Nu bleek dat de opnamen, waarover sprake in deze overeenkomst, ook alleen háár opnamen konden betekenen. Zij had zelfs nog achterstallige huur voor de kamer moeten betalen, en de prijzen waren ongemeen hoog.

'Dit heb ik toch nog kunnen redden.' Zij glimlachte met verbrande ogen tussen de blinkende randen, haalde een enorme tas van onder het bed.

'Voor ons.'

Twee koude kippen in micapapier, drie chianti-flessen, een Magnum Champagne, biscuits, een blok kaas. Daar zij de laatste dagen haar maaltijden niet in het hotel had gebruikt, en zij er recht op had, had zij de voornaamste bestanddelen ervan opge-eist. Na hooglopende ruzie met de maître d'hotel en de directeur van het hotel, onder het afkeurend gemompel van de filmmensen, met alleen de vossige graaf aan haar zijde, die heel hard schold, dat het hotelpersoneel en de directie erbij allemaal communisten waren, had zij de buikige, krakend volle tas meegekregen. Het verhaal bracht een blos op haar wangen. 'Zeg, zou ik, in ruil voor de helft hiervan, niet op de divan hier in de kamer mogen slapen? Voor één nacht maar.'

Er waren nachtvlinders, schichtige schaduwen.

'Je hebt de ramen opengelaten,' zei hij. Zij deed ze dicht. 'Is het contrast met je kamer in het hotel Eden niet al te hevig?'

'Ik werd ziek in die kamer, ik ben blij dat ik er uit ben. En dan die geur van boenwas en planten.'

'En van Rosie's sigaretten.'

'Ik heb er in mijn koffer mee. Wil je er?'

'Neen. Jij?'

'Soms.'

Zij zwegen, de vlinders ritselden tegen de gloei-lamp. Toen zij samen de flessen, kippen, dozen naar de keuken brachten, dacht hij: Het begint. Zij hing zorgvuldig haar jurken in de kast. 'Anders kreuken zij, in de koffer.'

Maria's verflenste bloemen die het dienstmeisje op zijn tafel liet, omdat zij dacht dat Edward ze als her-innering wilde bewaren en die hij niet durfde weg te gooien, zwiepte Jia door het keukenraam in de tuin; zij dekte de tafel, haalde haar grammofoon te voor-schijn, babbelde opgewekt en vals. Zij aten. 'De champagne is voor later,' zei zij. 'Later,' herhaalde hij.

'Vanavond laat.'

Hij knikte. Hun handen en lippen waren vet van de geroosterde kip. De tuinier, vertelde hij, wrijft zijn handen met olie, etensresten en wijn altijd in zijn haar af, dan zet hij gauw zijn pet weer op.

'Violet laatst had het te warm en de kelner wilde het raam van het restaurant niet openzetten. Toen schudde zij een hele kippenvleugel voor haar ge-zicht als een waaier. Iedereen keek. Toen deed hij het raam wel open.'

Morgen zouden zij vis kunnen eten, een half uur nadat hij gevangen was, zei hij.

De tweede fles Chianti was leeg.

'Edward, hoe vind je mij?'

'Jij eerst.'

Zij gooiden er een muntstuk om en hij moest het eerst zeggen.

'Aardig.'

'Niets anders?'

'Neen.'

Zij praatten over de filmlui. Mevrouw Smeralda logeerde nu in het hotel met Cucu, een figurant. Zij zouden samen naar Hollywood gaan. Sanmarco had een door zijn zuster bewaakte en verzorgde flirt gehad met Rosie. Die steeds magerder werd, waar zou dat ophouden? Banco durfde minder dan ooit het water in. Op een morgen was hij om vijf uur opgestaan om een bad te kunnen nemen wanneer er niemand aan het strand was, want hij schaamde zich voor zijn naakte vetkwabben; hij dreef gelukkig, onverlegen, wit en dik in het water toen Palla en het hele verwittigde kliekje te voorschijn sprongen; zij hadden zijn kleren weggegooid en toen hij aan land kwam, dansten zij in een kring rond hem, zodat alle vroege wandelaars op de dijk samentroepten en hij onder hun gejuich in badpak naar het hotel spurtte. Ricco had zijn pink gebroken en kreeg zevenhonderdduizend lire vergoeding.

'En Sabina Corra?'

'O die.' Jia verzon de leugens al.

'Woont zij nog in het hotel?'

'Waarschijnlijk wel.' Zij vermoedde dat hij meer wist. Het werd een kalme breuk tussen hen. Een verbrokkelend en door het zeewater opgezogen zandkasteel. Zij dronken.

'Zij is slecht. Door en door gemeen,' zei het meisje.

'Zij is wel een groot actrice.'

'Misschien wel daarom.'

'Jij wil toch ook actrice worden?'

'Ik ben al gemeen genoeg.' Zij lachte triomfantelijk. 'Ik heb Violets grammofoon en de helft van haar platen uit de koffers gehaald die haar moeten nagestuurd worden. O, wat zal zij kwaad zijn, zij zal het hele American Hotel bij mekaar schreeuwen.' Zij hield ineens op. 'Violet is ook een stuk hoer. Zij heeft in alle kranten laten zetten dat zij met Palla zal trouwen.'

'Is het dan niet zo?'

'Natuurlijk niet. Hij is nog altijd met Isa Mancini getrouwd. En overigens...'

Zij maakte koffie. In de tuin, het zwaar, ruisend spinneweb, zei zij: 'Alles blijft toch hetzelfde. Hoe je je ook verzet, zoals ik tegen haar. Ik dacht dat het het einde van mijn leven zou betekenen, eindelijk... zoals men mij nog verteld heeft dat het zijn kon. Maar ik ben weer koud nu. Wat betekent Violet nu nog?' Aarzelend zei zij woorden beneden, naast, langs hetgene zij eigenlijk wilde zeggen. Zij hoopte dat wat zij hard genoeg uitsprak, werkelijkheid zou worden. Onmacht, wrok splitsten haar zinnen.

'Morgen verandert het opnieuw,' zei hij.

'Maar nu is het nog geen morgen.'

'Gelukkig niet.'

'Gelukkig, zeg je, Edward?'

Terwijl hij haar schouder nam, dacht hij: Zo neemt Palla de vrouwen vast in het hotel Eden, alle vrouwen, en hij kneedt, laat de druk van de ruiter, de hondentemmer voelen.

Kleine beten van haar lippen voelden aan zijn vingers. 'Don Raffaele, de morgen breekt aan, laat uw armen los,' declameerde zij, het stukje dialoog uit 'I Cospiratori', dat zij dikwijls voordeed, een sissende Tosca zonder stem.

'O amore mio.' De roep van Smeralda naar Palla. Toen was hun gezamenlijk repertorium uitgeput en zij zaten hulpeloos. Hij ging naar het ontdaan gezicht, naar het gespannen lichaam dat opgekruld in het gras zat en viel haar aan. Zij sprong weg. Buiten weerklonken Duitse liedjes. 'De zware stem is die van Stein,' zei hij, 'hij heeft maar één arm en hij is er heel trots op. Hij loopt elke dag in badpak rond en de Duitse vrouwen behandelen hem zeer zacht.'

Zij wandelden terug in het spinnenweb der bomen, bereikten het huis, dat onafhankelijke gedeeltes van zijn loof, de vleermuizen, uitzond.

'Edward, mag ik nu nog blijven?'

'Je betaalt er voor.'

Zij ontkleedde zich gemakkelijk, liep zingend, met een soort onkuise vrolijkheid, in bustehouder en slip naar de badkamer. Hij verroerde niet in zijn stoel. Wanneer mijn glazen kooi breekt, woon ik dan in haar wereld, waar zij mij lokt? Zij riep: 'Geef mij eens de paarse handdoek aan,' maar hij ging weg. Het ronkend dorp en dan opnieuw de nabije, verstilde, uitdruppelende waterbron van de badkamer. Hij scharrelde de bloemen van het dienstmeisje samen en wierp ze in de menshoge wijnkruik bij de garage. Onder een geruite deken, waarschijnlijk van Banco's auto, lag Jia opgekruld op de divan. 'Dag,' zei zij, een kind met omwalde

ogen. Hij verschoof de deken. Zij droeg een lichtblauwe pyjama met een Russische boord. De nacht
met de insecten bleef buitengesloten.

'Je kijkt kwaad. Niet ernstig zoals het hoort. Maar
kwaad.'

'Dag,' zei hij. Het duurde lang. 'Dit is een nauwe
divan.'

'Mijn oom slaapt hier. Hij is een dwerg.'

'Dat is treurig.'

Hij speldde een kaartje op de deur. 'Wil mij wakker maken om elf uur. Dank u,' en vond toen het
meisje rechtop zitten in het wit, ijzeren bed. Zodra
zij hem zag, wipte zij op en neer en deed de veren
krijsen, haar lichtblauwe borst bewoog. In de harde
klaarte bekeken zij elkaar. Zij klemde zijn hoofd tegen haar borst en trok aan zijn haar.

'Luister.'

'Het mag,' zei zij, krampachtig en vriendelijk tegelijk, 'ik heb dingen van Violet.'

Hij trok haar pyjamabroek uit, keek, spreidde
haar knieën.

'Ik ben naakt,' zei zij zenuwachtig; haar grijnsje
maakte haar vreemder, geheimer dan ooit tevoren,
dan vanavond. Hij deed het grote licht uit en be-
kleedde de schemerlamp met een rode sjaal met

witte bollen. De kamer, de kooi, werd roodfluwelig als een gekruld en vuil salon. 'De lamp is een beest, weet je welk beest? Een glimworm. O, gauw, maak hem dood,' zei Jia met een lage, kwade verrukking in haar keel. Hij vond haar in het duister. Zij riep. De nacht duurde. Bij de morgen stond hij voor het open venster, moe en verwonderd. De heuvels werden lichter in een onwezenlijke, vormloze kleur. Jia sliep en sloeg af en toe haar arm uit, hij liet zijn pols vangen, zij sloot haar vingers.

'Het begon niet goed,' zei hij, 'je moet nog wennen aan mij, dan gaat het beter.' En dan, dacht hij onverwachts, is het te laat. Te ver. Gewoonlijk is het zo. Maar misschien blijft het bij jou wel goed. Ik zou het willen.

9

Jia sloeg de struiken met een wisje, zij liet een spoor na, reeds van groene snippers die opkrulden in de zon. Naarmate zij klommen, werden de heuvels wijder, tot zij een uitgetand plateau bereikten, een versteende weide. 'Kijk, de sneeuw beweegt.' Zij wees naar de bergtoppen die in de witte lucht verdwenen.

'Het is de mist,' zei hij.

Zij waren langs de gladde helling geklommen, hadden de bergweg verlaten en konden nu alleen terug langs een andere helling. Terug.

'Ben je bang, Jia?' – 'Neen. En jij?' – 'Ik ook niet.' – 'Je bent net zo bang als ik.' – 'Ik ben bang, maar om jou.' – 'O, huichelaar,' riep zij. (O, minnaar, o, belager.) Op een alleenstaande heuvel – zij konden de trappenweg zien die er heenleidde – lag een stoltige opeenhoping van blokhuizen met gaten en gaanderijen. 'Een kashba.' De kleur van de kashba was gelijk aan de rots, roze en grijs, met gele geledingen. Misschien woonden er mensen. Er was geen beweging te bespeuren, maar misschien sliepen zij. Er waren wijngaarden noch velden rond de kashba.

De tocht bleek moeilijk, zij moesten over kloven springen en af en toe gleed hij uit. Jia had hem verplicht zijn espadrilles aan te doen, omdat ze hem goed stonden maar de touwzolen hielden niet op de gladde rots. Af en toe raakte er een steen los en spatte tegen de stenen wanden beneden uiteen. Zij zagen de zee niet meer, maar de geur bleef bij. Na twee uur bereikten zij de koele, beschaduwde weg tussen kleimuurtjes die om de kashba kringde. De verweerde speeldoos die zij in de verte hadden bemerkt, veranderde in ruwe tegen mekaar aan liggende, gebarsten muren, waar ruitjes in gemetseld zaten. Touwgordijnen wezen de ingang der huizen aan. Iedereen sliep of was vermoord. Smalle gaanderijen en bogen verbonden de woningen. Gehurkt op een blikken bus zat er een klein negroïde meisje, het liep hard weg toen zij hen bemerkte; zij verwittigde haar moeder, die in de ingang van een der kubussen stond.

'Een signora met een mannenbroek aan,' lachte de moeder, 'ik kan u niet zien, maar Marcia zegt dat u heel mooi bent, signorina, en u ook, signor. Denk aan een arme, blinde moeder, signor.'

Het kleine meisje trok aan Jia's riem. 'Mamma, mamma, zij heeft een armband om.'

'Een blinde moeder,' zeurde de vrouw.

Een baardige man keek boven haar uit het hok en trok zijn pet van het hoofd. 'Buon giorno, Excellenza.' Hij gleed langs de blinde vrouw; hij leek op Nonno in het armoedige, aangevretene. 'Sono malatto.' Jia stak achter haar rug haar hand uit, duwde haar over en weer met de vingers, behalve pink en wijsvinger, opgeplooid, in het bezweringsgebaar dat zij altijd had bij zieken, doden, verminkten.

'Ga weg,' zei Jia. De galerij was overdekt en stonk.

'Excellenza, u is gekomen om de ruïnes te zien, u is een kenner van oude steden, dat kan ik aan u merken, laat mij u uitleggen...'

'Neen.' Jia stapte vlug weg. De man had een huidziekte, gele schilfers over de opgezette huid van gezicht en handen.

'De Sarrazenen zijn gekomen lang voor Italië bestond, dat weet u...' Jia gooide een handvol geldstukken achter hem op de grond en de baardige – onverklaarbaar plots ook het kleine meisje en haar moeder – graaide in de donkere, zandige aarde. Edward liep Jia achterna, de galerij opende zich in een bocht, zij traden in een gesloten, ronde ruimte met hoge stenen muren die vroeger een koepel hadden geschraagd; stukken geblutst gebinte staken de lucht in. Hadden de oude en de moeder de bewoners van de kashba wakkergemaakt? Er waren stemmen hoorbaar, en verspreid gefluister, het verschuiven van ijzeren meubels of stangen. Een rottende geur vlotte, heet en dik.

'Heb je gezien hoe de oude man mij wilde vastgrijpen?'

'Neen.'

'O, daar is hij weer.' De man stond in de boog die op de galerij uitgaf, naast een gemetselde kolom. 'Excellenza, dit hier was de vergaderzaal der monniken.'

'Prachtig,' zei Edward. Hij liep recht op de man af, die op het laatste ogenblik wegweek en door de vrije opening volgde Jia.

'Mamma,' gilde het kleine meisje een oosters gebed ten hemel, 'zij heeft gouden schoenen aan.'

'Wat doen jullie hier?' vroeg een donkere, zwaargebouwde man in een rauw, hakkelend dialect. Door zijn openhangend hemd blonk zijn onbehaarde, zwellende buik. 'Dit is geen plaats om te komen vrijen.'

'Neen, Francesco,' zong de oude man onderdanig, 'ik heb het hun ook gezegd.'

'Wie wil er vrijen in jullie stinkend krot!' riep Jia.

De donkere man hield zijn adem in, zijn buik trilde en hij kruiste zijn armen. 'Signor, ik spreek niet met vrouwen, ik richt mij tot u. Dit huis is mijn eigendom en gij komt hier binnengewandeld zonder kloppen of groeten...'

'Mamma, zij heeft schoenen aan met touwen van goud,' krijste het meisje en ontweek een schop van de dikke.

'We zochten een weg naar het dorp,' zei Edward.

'Toon hun de weg,' zei de dikke waardig tegen de oude. En tot Jia: 'En dat ik jullie hier niet meer vind.'

Op de keienweg die naar het dal leidde, vroeg Jia: 'Wat had je gedaan als de dikke man mij vastgegrepen had? Had je hem geslagen?'

'Wat had jij gedaan?'

'Ik weet het niet.'

In de twee dagen dat zij bij hem woonde en dat hij scherp op haar lette, was zij niet veranderd. Zij waren thuis gebleven, etende, slapende dwars door nacht en dag heen, in een soepel ritme. Met een onafwendbare zekerheid begroetten zij elkaar na elk oponthoud, verrast elkaar terug te vinden na het heftig spel, de sluimer en het nieuw ontwaken. Alleen was Jia's aandeel in het spel onvolledig, zij begaf niet helemaal, bleef hongerig bij haar verzet tegen haar lichaam; hij raadde een dreiging, een gevaarlijke werking waaraan hij geen deel kon hebben. Toen waren de reserves die Jia meegebracht had, opgegeten en waren zij voor het eerst weer in het licht gedoken. Zij hadden in Perenna gewandeld, de dorpelingen gegroet, inkopen gedaan en toen zij terugkwamen, was het bed opgemaakt geweest, de verspreide kleren en ondergoed, etensresten, sigarettenpeukjes opgeruimd, het papier op de deur verdwenen; en er stonden nieuwe fuchsia's. Jia wilde weten of het dienstmeisje mooi was, mooier dan zij. 'Kom, wij gaan een berg beklimmen,' had hij gezegd, en gedacht: Het dienstmeisje heeft ons vertrek afgespied, de sporen gevonden, als een gekwetst hert door de kamer gerend, heeft haar koppig werk verricht. Misschien een van haar schaamharen onder het hoofdkussen verstopt opdat ik aan haar zou denken.

Nu de terugweg in zicht was, wilde hij zo laat mogelijk naar huis. Zij lieten zich doodmoe in de rieten zetels van de Tivoli-bar zakken.

'Zeg, kan ik hier een bad nemen?' vroeg Jia aan Riccardo.

'Wat,' riep Edward, 'de heilige plek waar ik jou het eerst ontmoet heb, onteren!'

'Ik heb jou het eerst gezien, in de bioscoop. Ik dacht: Die sla ik aan de haak.'

'Dat dacht je niet.'

'Neen. Ik vond je knap en dacht dat je mij misschien zou aanspreken. En toen je het niet deed, sprak ik je aan. Ik was kwaad.'

'Omdat Violet weg was.'

Zij knikte.

'Ik heb jou door Violet,' zei hij, 'zodra zij je pijn doet, val je op mij terug. Als zij niet naar Rome verdwenen was, was je niet naar mij toe gekomen.'

'Waarschijnlijk niet.'

'Zie je.'

'Weet jij altijd wat je wil of niet?'

'Neen,' zei hij onmiddellijk.

Zij aten rauwe mosselen en daarna vissensoep.

'Hé, Edoardo, waar ben je gebleven? Ik heb een werkje voor je.' Riccardo rolde de oude Nonno tot bij hun tafeltje. Nonno groette Jia en toen hij haar herkende, grijnsde hij: 'Nog eentje die in mijn film gespeeld heeft. Is zij je vriendin? Zij is mooi, maar te mager op sommige plaatsen.'

'Wat weet jij er van!' riep Jia.

'Let niet op hem, Jia, hij wil het maar al te graag te weten komen.'

Nonno lachte; zij dronken grappa. 'Ah, mijn film, ik ben blij dat hij achter de rug is,' zuchtte Nonno alsof hij de regisseur was geweest.

'Luister daar eens naar,' zei Jia. 'Weet je dat hij elke dag ruzie maakte omdat zijn rol niet lang genoeg uitviel, omdat hij niet genoeg mocht vertellen of zijn baard laten zien in secondo piano. Sanmarco heeft meters en meters film opgenomen die nooit zullen gebruikt worden, alleen om van zijn gezeur af te zijn.'

'Wat? Die niet gebruikt zullen worden!' Nonno werd hoogrood.

'Natuurlijk.'

'Dat kan hij mij niet aandoen! Ik jaag hem een proces op het lijf!'

'Ach, Nonno, wij zullen een film maken, met jou en mij in de hoofdrollen,' kalmeerde Jia en het beviel de oude; trots blikte hij het terras af en haalde er Riccardo bij te pas. 'Nog een rondje grappa, en... Riccardo, moet je geen handtekening vragen aan de signorina hier die in mijn film gespeeld heeft?'

'Gaarne,' zei Riccardo.

'Signorina, gelieve een foto voor mijn vriend Riccardo hier te ondertekenen.' Toen hij evenwel hoorde dat Jia geen foto's bij zich had, werd Nonno wantrouwig en besloot hoogstwaarschijnlijk dat zij geen échte actrice kon zijn. Hij dwong haar een ansichtkaart met zijn gezicht erop te tekenen. 'A Riccardo con vivissimi auguri, Jia Venturi.' – 'Op de handtekening komt het aan,' zei hij schijnheilig. Het werkje dat hij voor Edward had, bleek een lading sigaretten en nylonkousen halen in Genua, samen met Manlio.

'O, mijn gevaarlijke smokkelaar,' kraaide Jia op weg naar huis. Lag het dienstmeisje op de loer? Hij zocht naar een spoor, een ademtocht van haar zware, verwaaide, gekruide geur toen zij de nachtelijke kamer betraden. Onder het hoofdkussen was er ook niets te vinden.

Hij zag haar een paar maal in de tuin de volgende dagen, zij ging vlugger en boog het hoofd. Het huis van Edward en Jia werd ruimer, omvatte de tent van het strand, de heuvels en het water. Zij zwommen. Vonden een apart strandje, een platform in een inham dat bij eb onder water stond. Zij liepen er naakt, doken met hun gummibrillen, paarden onhandig en pijnlijk in het water. Zij daagde hem uit een overgrote ricci los te maken van de rotswand en hij bracht hem boven met zijn vingers vol stekels. Zij zoog het bloed uit zijn vingers. 'Wees niet boos, kijk niet zo kwaad,' lachte zij, 'aha, een boze naakte man.'

Op een morgen lag er een kaartje onder de deur. Mevrouw Leccini wilde hem dringend spreken. In het naar wierook ruikend salon, terwijl een houtworm hoorbaar was in het eiken buffet, legde de kalme, rechte vrouw hem uit, dat hij niet langer het tuinhuis betrekken kon. Haar broer uit Florence kwam namelijk over en wilde in het tuinhuis ondergebracht worden.

'Ik begrijp het.'

'Zoveel te beter,' zei zij vriendelijk.

'Maar ik neem het niet aan.'

Zij schrok niet, zij had weerstand verwacht. Traag zat zij in haar fluwelen zetel, kruiste haar handen voor zich, de vingertoppen raakten elkaar.

'Ik wil u niet kwetsen, maar ik ben u geen enkele uitleg verschuldigd. Er is geen huurcontract tussen ons, ik kan u elk ogenblik aan de deur zetten. Ziet u, er is zoiets als waardigheid, eer, of bij gebrek daaraan, goede manieren. Ik kan niet dulden dat u in mijn huis een vrouw naar binnen brengt, over wiens stand ik nu niet wil uitweiden, en dat u ermee samen leeft als een gehuwd paar. Ik heb het van mijn eigen dochter niet geduld.'

'Ik heb u betaald tot het einde van de maand.'

'Ik had u anders gedacht.' Haar hazelnootkleurig oog was helder en groot.

'Ik had u ook anders gedacht.' Het klonk plat in haar altaar.

'Ik kan pas binnen drie dagen weg, ik moet eerst voor een zakenreis naar Genua.'

'Morgenavond wil ik het tuinhuis leeg zien.'

'Of anders?'

'Ik wil u de huur tot de dertigste terugbetalen.'

'Goed dan, ik wil u niet langer lastig vallen.'

Hij keek in de gangen en in de nabije kamers maar vond het dienstmeisje niet. Had zij een andere betrekking? De oude Leccini had niet over haar gesproken. Zij wist zeker alles over hun verhouding. Haar stilzwijgen daarover leek een medeplichtige chantage. Zij weefde in eenzaamheid schadelijke webben, leek het.

In de Tivoli-bar was geen kamer vrij. Riccardo ver-
klapte dat de tuinier van mevrouw Leccini een brief
van haar aan il signor Mucci, de waterzuchtige ei-
genaar van de bar, had gebracht. Mucci had verklaard dat Edward door vooraanstaande personen
uit het dorp eerder ongewenst was. 'Heb je de oude
Leccini verleid?' vroeg Nonno. 'Jaren geleden heb
ik het geprobeerd, het lukte mij nooit. Nu vraagt zij
het mij zelf, maar voor geen geld ter wereld... Pff.
Het geeft niet, jongen, je komt bij mij wonen, afgelopen.'

De boottocht met de sigaretten bracht Edward
tienduizend lire op en hij nam met Jia zijn intrek in
de gekalkte kamer waar vroeger Nonno's tweede
zoon Lucca had geslapen. Hij was op zee gestorven
en er hingen foto's van hem, als visser, als wielren-
ner, met een boerenmeisje dat op Maria leek. Nonno haalde de foto's en een verdroogde palmenkrans
weg. 'Ecco!' Hij sloeg, niettegenstaande het volle

middag was, de luiken open, vlug babbelend alsof hij de lichaamsgeur van de dode wilde verdrijven in een zenuwachtige ruk. Er stonden een kast, een bed en twee stoelen. Jia haalde haar grammofoon boven en Edward danste met haar, terwijl Nonno de maat sloeg met een stuk hout op de tafel.

Het huis lag ver buiten het dorp, in de visserswijk. 's Morgens, terwijl Jia bleef slapen, met haar knieën bijna tegen haar borst opgetrokken, en het hele bed in beslag nam, voer Edward soms uit met Manlio. Zij leverden de vis direct aan het conservenfabriekje van het dorp en bakten thuis hun eigen portie.

Jia en Edward speelden pingpong in de Tivolibar, wandelden naar de nabije gemeenten, nooit naar Lotorne. De avonden verliepen ritueel met briscola, poker en Cesanesewijn, iets getemperd door Jia's aanwezigheid eerst, maar de habitués van de Tivoli-bar kenden haar gauw en herwonnen hun luidruchtigheid.

Op een dag was er storm en verdronk Dehmel, die met een vriend te ver was gaan roeien. Het hele dorp was op het strand verzameld, de Duitsers liepen handenwringend en radeloos, zij wilden een reddingboot uitzenden, maar de storm was te hevig. Dehmels vriend kwam bijna door de branding heen. Iedereen riep hem aanmoedigingen toe, die in het oorverdovend geraas wegwaaiden. In de witte, logge massa die vlokken uitsloeg en ziedde, klapwiekte hij en ging vlak bij de laagste rotsen onder. Dehmel vond men de dag daarna.

Alhoewel Jia het heidens kind van de zee speelde met genoegen en overgave, besloot Edward dat zij ergens, misschien zonder dat zij het wilde, vals speelde. Er waren stiltes tussen hen, waarin zij hem ontsnapte, haar heimelijk gebied vervoegde waar hij geen vat op haar had. Zij zat dan met wijdopen, hongerige blik, en liet een doorlopend, angstig of vertederend schouwspel voorbijrollen, haar mond opende zich, zij kauwde en schrok als hij de stilte verbrak, gewoonlijk met de onvermijdelijke vragen: 'Wat doen wij? Wat gaan wij doen?' Toen zij besloten naar Frankrijk te gaan, bleek het dat Jia geen geld meer had. Zij gingen niet naar Frankrijk en de zomer was voorbij.

'Hou je van mij?' Haar vingers, de scheve poten van een krab of van een spin – een der vertakte, trage beesten waar zij bang voor was en die haar aanlokte, pijnlijke magneten – duwden op zijn oogballen, zijn neusvleugels, kropen in de holtes, haakten in zijn gekloven kin, achter zijn oren.

'En jij?'

'Ik niet meer.'

'Ik ook niet meer.'

Het bed kraakte. Waar was de wereld waar zij naakt en heet als minnaars liepen, een kwartier geleden?

'Wij kennen elkaar al te lang,' zei zij.

'Twee maanden.'

'Wij zien elkaar elke dag, daar is geen liefde tegen bestand.'

'Wij worden een gewoonte.'

'Ik kan jou niet meer zien. Altijd dezelfde bruine haren, dezelfde lichtgebogen neus, dezelfde lijntjes in je wang.'

'Ik word doodmoe van je ogen, van het geluid dat je tanden maken 's nachts.'

Geen van beiden begon te glimlachen.

'Pas op,' riep het meisje ingehouden, 'anders wordt het nog allemaal waar.'

'Het ís waar.'

'Neen!' schreeuwde zij en plette met haar smalle, klamme hand zijn lippen.

'Neen,' zei hij tegen haar handpalm.

'Ik ben bang. Wij hebben geen geld meer.'

'Ik heb mijn oom in Antwerpen geschreven.'

'Twee weken geleden al. Hij zal je niet antwoorden. Ik ben bang voor jou. Je bent een gevaarlijke gek die men beter opsluiten zou. Want je werkt niet, je doet niets, je verwacht van iedereen dat zij je eten in de mond stoppen.'

'Jij komt er beter van af. Je verft je gezicht wat, iemand richt een lamp en een camera op je en je krijgt elke week een cheque.'

'Je weet er niets van. Denk je dat je zomaar onder die lampen, onder die camera terechtkomt. Je weet er niets van.'

'Gelukkig niet,' zei hij scherp.

'Wat bedoel je?'

Hun gesprekken braken dikwijls af in die ongemakkelijke stiltes die twee te dicht bij elkaar geschoven dieren, kinderen, minnaars, spionnen overvalt – zij wachten, het spel blijft stilstaan en stolt – het ogenblik is onvervangbaar, onherstelbaar. Wortels groeien.

'Ik ben ook een acteur geweest,' zei hij, 'in een stuk over Filips de Goede in lange, moeilijke verzen. Ik was een der moordenaars.'

'Ja,' zei Jia.

'Wij moesten een priester vermoorden. Veel later

is de jongen die de priester had gespeeld, echt neergeschoten geworden door de Duitsers.'

'Je hebt het kwade oog.' Zij stak haar opgeplooide hand met de gestrekte pink en wijsvinger naar hem uit.

'Wat wil je eten?'

'Vis.'

Het dagelijks, versleten grapje, er was niets anders. Vis en eieren, zoals alle vissers. Hij zag haar bezig met de inktvissen. Haar naakt, vertrouwd figuur in het badpak, een zwart aangegeven veegje tegen de rustige zee, hield de draderige, grijze dieren, de vastgeworden slijm, met één hand vast en hield ze ver van zich af, sloeg ze in het water. Zij rilt van afschuw, van drift, van wellust, dacht hij. Zij sloeg de inktvissen een half uur lang murw op de keien en kookte ze met calamari, kruiden, tomaten.

Nonno slurpte. 'Ik laat die filmster nooit meer uit het huis. Mijn maag raakt nooit meer gewend aan de rommel die ik vroeger hier te slikken kreeg.'

'Jij bastaard,' zei zijn zoon. 'Je at hier nogal veel. Rauwe vis en Chianti, daar leefde meneer van!'

'Filmsterren weten hoe het hoort,' zei Nonno definitief. Het was duidelijk dat hij in die groep ingeschakeld was.

'Ik ben geen filmster meer, Nonno, ik ben een echtgenote.'

'Van wie dan?' deed Nonno verwonderd.

'O, jij, bastaard,' riep Edward.

De geur van versgemaaid gras die uit de heuvels overwaaide, het gegil der nachtelijke polpi-vissers, de nonnen, vreemdgekapte, hinkende reuzenvogels die de kinderen van de kolonie hadden begeleid, dit alles verdween langzamerhand en het dorp werd grijs. De fotograaf en de slager verhuisden naar hun winterkwartier. De dochters van de kruidenier namen vakantie in de bergen, vertelde de Ingegnere.

'Wie woedend op mij zal zijn, wie mij nooit meer zal willen aankijken, is oom Turi,' zei Jia, 'hij denkt dat hij mij door en door kent, dit had hij nooit van mij verwacht. Sedert '1 Cospiratori' afgelopen is, heb ik niet één keer geschreven. En wie weet wat Violet hem zal verteld hebben!'

Oom Turi was haar oom niet, zij noemde hem alleen maar zo. Hij had haar ontmoet in Cinécitta, waar zij als figurante werkte; hij had haar een eerste filmcontract bezorgd met drie zinnen te zeggen. Van toen af aan was hij haar impresario geworden en nam vijftien procent.

'Wat neemt hij nog meer?'

'Niets.'

'Niets?'

'In het begin betastte hij mij wel eens, maar ik zette meteen een grote mond op en hij laat het nu wel. Hij is aan mij verkleefd. O, hij zal denken dat ik een andere impresario gevonden heb.'

Toen de Amerikaanse sigaretten van de provisie uit Genua op waren, schakelden zij over naar Nazionali.

'Ik ben er nog nooit zo slecht aan toe geweest,' lachte Jia, 'ik heb nog twee paar kousen en jij hebt niet eens een winterjas, niet eens een winterpak, ahaha. Ik zal oom Turi schrijven.' Zij stelden samen een zakelijk bericht op met een gevoelig postscriptum, maar na een week kwam er geen antwoord.

'Sabina Corra was verliefd op mij,' zei Jia op een avond alsof zij het zich nu pas herinnerde, het was slecht geacteerd. 'Weet je wat zij mij in de tijd heeft voorgesteld?'

'Om in haar revue op te treden.'

'Wist je het dan? Heeft Violet het je verteld?'

'Ja.'

'Nu en dan?' vroeg zij uitdagend.

'Dan niets. Het gaat mij niet aan.'

'Jawel. Want ik kende je toen al, je was toen al verliefd op mij. Toch heb ik het gedaan met die oude koe. Ik schaam me, Edward.'

'Dan kan je nu net zo goed de vruchten ervan plukken.'

'Wil je dan dat ik in haar revue optreed?'

'Ik wil niets.'

'Wij zullen afwachten.'

Zij gingen minder en minder naar de Tivoli-bar en Riccardo zei dat hij hun die rekening moest voorleggen van signor Mucci, maar dat hij het natuurlijk niet deed, hij wist dat Edward een galantuomo was. Maar mocht hij hun, mocht hij zo vrij zijn hun een liter aan te bieden? Ja zeker.

Op een middag stond Edward bij het verlaten tennisveld van de Ingegnere, dat de brievenbesteller aan het besproeien was.

'De vakantie is gedaan, de Duitsers zijn weg,' riep de brievenbesteller en richtte zijn spuit naar hem, het dichte traliewerk deed het water versplinteren.

'Jongeman,' zei een bekende, hooghartige stem achter hem. 'Jongeman,' zei mevrouw Leccini, 'ik ben verwonderd u hier nog aan te treffen; men had mij verteld dat u onder de vissers woonde, maar ik wilde het niet geloven. Ik heb dikwijls aan u gedacht. En hoe ik mij vergissen kan nog op mijn leeftijd, en ingenomen kan worden door een gezicht dat er eerlijk uitziet. Ik kan mij niet met het kwaad verzoenen...'

Hij staarde naar haar vertrokken mond, haar grijze, vaak gewassen haren, haar stokrecht figuur, alsof hij haar nog nooit eerder had gezien, die vrouw die het goede en het rechtvaardige en het eerlijke wilde, in een onmogelijk mengsel verenigde.

'Wat u gedaan heeft, signor, is laag. Zij is al twee maanden ziek.'

'Wie?' vroeg hij log.

'U wilt vergeten. Ik ken het, het gaat niet. Laagheid blijft bestaan. Kan niet vergeten worden, alleen vergeven.'

'Heeft zij u dan alles verteld?' vroeg hij dwars door het oud refrein heen.

'De dokter heeft het mij gezegd. Toen pas bekende zij.'

'Welke dokter? Wat is er gebeurd met haar?'

'Beheerst u,' zei zij kort. 'Het hele dorp hoeft niet te weten dat een vlegel van uw soort mij toeschreeuwen kan. U heeft mij al genoeg schade toegebracht. Alles heb ik in orde gebracht. Wees niet bang. Iemand moet voor de vuilnis zorgen.'

'Ik verbied u.'

'U heeft niet het minste teken van leven gegeven sedert ik u met die vrouw uit het huis heb gejaagd. En terecht. Maar het schepsel... ('la creatura,' zei zij en de laatste lettergreep verschoof in zijn oren, zodat hij 'la creatura tua' hoorde) heeft u verwekt, hoort u toe.'

'Waar is Maria?'

'Neen, signor.' Zij hief haar muisgrijs behandschoende vingers. 'Zij heeft genoeg om u geleden. Spreid het kwaad niet verder.'

'Ik wil haar uitleggen. Ik wist het niet.'

'Neen?' Haar roerloos gezicht grijnsde openlijk, de minachting ruimde plaats voor een hautain en indringend medelijden. 'Ik wil u niet meer in het dorp zien. Maria is nog steeds minderjarig, het kan u zwaar te staan komen.'

'Zij zei dat zij vijfentwintig jaar oud was,' wilde hij zeggen. Hij draaide haar de rug toe, verwachtte de vilten behandschoende klauw tussen nek en schouder. Wild stapelden de beelden zich op. Op kerktrappen viel hij op de knieën voor haar in het

wit en de tuinier met de dovemansogen. Een bruin-
ogig kind kwam met wankelende, kromme benen
naar hem toe. Het viel, maar hij kon het niet bereiken. Hij had de rechtvaardige moeten toeschreeuwen: 'Het kind is van de tuinier!' maar de leugen
sprong op in zijn vel. Hoe zou zij het kind krijgen?
Landelijke vrouwen waren sterk en vruchtbaar en
zij was een boerenmeisje. In het doffe, door de sei-
zoenen geleide bestaan van Perenna werd Maria
een vrouw met een zwaar wordend profiel, met een
gretige stem die soepel oversloeg tot een der honderden dagelijkse schreeuwen uit de roze en oker
geverfde visserswijk.

'Wil Sabina Corra je nog in die revue?' vroeg hij
die avond.

'Misschien.'

'Wij kunnen hier niet eeuwig blijven.'

'Hoera! Rome!' Zij kuste hem wild en stompte in
zijn lenden. 'O, ik kan niet gauw genoeg mijn pakken maken.'

De laatste avond werden zij stil en gedrukt dronken met Nonno. Riccardo nam het op zich om signor Mucci te weer te staan morgenochtend met de
onbetaalde rekening. Later, in de leefbare, in de
herbergzame nacht, lagen zij tussen de boten die

naar teer en touw roken, op het strand. 'Ik wilde dat ik het zand meenemen kon naar Rome,' zei Jia, 'ik zou er mijn plankenvloer mee bestrooien, mijn hele bed... Wat heb je? Ben je treurig dat je Perenna verlaten moet?'

Achter de hagen, in de tuin zoekt Maria mij, dacht hij, en de tuinier overvalt haar nu, met recht en mevrouw Leccini aan zijn kant, want zij zullen vlugger trouwen nu, mevrouw Leccini heeft alles in orde gebracht, zei zij. Wat moet ik doen? Wat had ik moeten doen? Wat?

Het meisje trok aan zijn trui. 'Ik ben er toch.'

'Voor hoe lang?'

'Voor heel lang,' zei zij.

Door het slapende dorp, langs de lange rij cypressen die naar het klooster liep, langs de diepgrijze en door het maanlicht verwrongen vijgenbomen als onderzeese bossige zuignappen. Hun stappen op de dijk met de mozaïek en de palmen.

11

Jia ging met haar 'oom' Turi naar het Teatro Principe, waar nog uiteindelijke bepalingen van het
contract moesten besproken worden. O, oom Turi
was een betrouwbare butler, de goede vriend des
huizes, de handige medespeler met meer dan één
kaart in de mouw, die alles in orde bracht, dicteerde
hoe groot Jia's naam op de affiche moest staan,
hoeveel haar salaris en hoeveel haar reisvergoeding
moest bedragen, enzoverder. Toch was er iets geheims, iets plakkerig-loens aan de man, dat Edward
op zijn hoede bracht. Toen hij oom Turi voor het
eerst ontmoet had vanmiddag, had de welverzorg-
de man met de gemasseerde, geparfumeerde mara-
boehuid, met de drie ringen en de armband in pla-
tina, hem niet één keer het woord toegericht; alleen
bij het weggaan had hij Edward glimlachend toege-
knikt alsof hij bij een complot betrokken was.

Jia had in het bijzijn van oom Turi een beleefde
houding op afstand genomen tegenover hem alsof

zij zijn verschijning – tussen de gladde, elegante Italianen, hun snelle, lachende gebaren, was hij in zijn tweed-vest de onvermijdelijke vreemdeling – een andere, gedetacheerde waardigheid wilde geven. Het had Edward ongemakkelijk gemaakt en hij stond op het punt te vertrekken, toen oom Turi (die misschien zijn ongeduldige wrevel bemerkt had) plots vertelde over de verhouding van Sabina Corra en Violet, die verleden week nogal spectaculair afgebroken was.

'Ik dacht dat Violet met Palla zou trouwen,' zei Edward.

'Neen. Natuurlijk niet,' zei Jia haastig.

'Dat heb je mij toch verteld.'

'Je hebt mij verkeerd begrepen,' zei zij kort.

Nu, in ieder geval, de twee vrouwen hadden een schitterende ruzie gehad, vertelde oom Turi. Iedereén had gezien hoe Violet een volle asbak in Sabina's schoot had omgeworpen en zich met de meest afschuwelijke glimlach excuseerde. En Violet, die de tweede soubrette van Sabina's revue moest zijn, had haar contract op de vréémdste manier nietig verklaard gezien.

Daarop had oom Turi verklaard dat Jia zich meer in de 'beweging' moest laten opnemen, zich laten zien. Waarom nu niet, bijvoorbeeld bij Canova?

'In deze vodden zeker!' Jia trok aan haar jurk.

'Daar zorgen wij onmiddellijk voor, mijn duifje.'

'Ik ga de stad in,' had Edward gezegd, had het portier van oom Turi's Mercedes opengehouden, had hen achternagezwaaid; liep langs de piazza Esedra met de onregelmatig spuitende fontein, naar het station. Rome, de schreeuwerige stad overdag met de honderden Vespa's, de glazen ruimte 's nachts waarin de ruïnes onhoorbaar zaten, kende hij door en door. Carla, zo ver verwaaid nu, had alles willen zien, getrouw aan haar reisgidsen. Tussen twee minnarijen door, in een toeristische kramp, hadden zij ook alles gezien wat in de boekjes stond en Edward had geen zin om ook maar iets van de vloed van beelden, miniaturen, voluten, ruïnes, damasten, mozaïeken terug te vinden. Hij zat op een bank en liet de gejaagden, de gebrekkigen, de kinderen, de vrouwen voorbijtrekken, stil, en onbeweeglijk vanuit zijn uitkijkpost. In het krantenstalletje van het station hadden zij de nieuwste pocketbooks, hij kocht drie detectiveromans. Bij de afdeling Italiaanse boeken stond een bordje: 'Jij, hoerenzoon die boeken steelt, pas op, een dezer dagen heb ik je bij je kraag en sla je beide ogen dicht. Giacomo Manzu, gestore.'

Edward wees naar de schuine, door de passie vertroebelde letters.

'Hij zal nu wel bang zijn.'

'Ik kan hem niet vinden,' zei de gestore moe, 'vandaag heeft hij er weer al twee mee.'

'Geduld en moed.'

'Ik vind hem wel.' Hij wantrouwde Edward ook, berekende de uitpuilingen, de plooien, de mogelijke bergplaatsen in Edwards kleren.

'Ik ben het,' wilde Edward zeggen, maar misschien zou de gestore hem wel geloven, de politie er bij halen.

Hij nam een bus en reed naar de Monte Mario, waar een zilveren ballon boven op de heuvel stond als een bezwerend, onmogelijk vaartuig dat los zou komen op een dag en de lucht in drijven. Soldaten wandelden er met dienstmeisjes; de herfst trad in, onmerkbaar tenzij in de grijzere lucht, die regen inhield. De Tiber met zijn staalglanzen, de bruggen, de gebouwencomplexen, de ruïnes waartussen de mensen liepen, waartussen Jia zat of liep te spreken, licht, los, geheim.

Toen hij thuiskwam in de gemeubileerde kamer, zei de pensionhoudster dat zij te veel lawaai maakten als zij 's nachts thuiskwamen. Als zij geweten had dat zij theatermensen waren, had zij hen zelfs niet binnengenomen. Overigens kon zij hen niet langer dan een week houden, want haar man hield van zijn nachtrust. En zij hadden haar minstens mogen verwittigen dat zij theatermensen waren.

'Nu,' zei zij zachter, 'de signora is heel mooi.'

Hij knikte. En, had hij de krant van vandaag gezien? Neen? Zij toonde de krant. Onder een onwerkelijke foto van twee vrouwen die zich omhelsden, stond vermeld dat Jia Venturi, de veelbelovende starlet, eerstdaags haar debuut zou maken in de rivista-wereld onder de trouwe bescherming van Sabina Corra. Jia op de foto had een ongewone, wijde, glanzende mond, Sabina Corra leek op een gangster in travesti.

'Mooi,' zei hij.

Hij las in een detectiveroman, gooide hem tegen de muur, wachtte tot het donker werd in het raam en de porseleinen poppen, de pluche zetels, de Christus met zijn doorvlamd hart op de schouw weggedreven waren in de schaduw en toen ergens in de kamer scholen; in de kamer die eindeloos uitzette, geen hinderpalen meer ontmoette in het ondoordringbare, dikke duister.

'Ik wacht,' zei hij hardop.

12

Het contract werd getekend, zij verhuisden, de repetities begonnen. Hij mocht van oom Turi niet met Jia mee naar de schouwburg en hij verzette er zich niet tegen, draalde in Rome, het schel klinkende dorp. Of luisterde de klaagzangen aan van de medebewoners van hun nieuwe appartement. Een journalist, die verbitterd was omdat hij in een agentschap werken moest en niet op zijn eentje op reis kon wanneer hij wilde. Een vrouw met een onecht kind die Mussolini verafgoodde, wie het niet schelen kon of moeders van kinderen getrouwd waren of niet. De Gasperi had – 'kunt u zich dat voorstellen, signor Edoardo?' – alle kindertoeslagen ingetrokken of verminderd. Het vriendelijkst was een gebochelde jongeman, die altijd over voetbal sprak en die in een kamertje zonder raam sliep. Omdat het in zijn kamertje stikkend heet was en donker liet hij soms de deur openstaan. De geur van zijn bed, van zijn lavendel mengde zich met de keukenlucht.

Soms ging Edward het meisje afhalen in een bar bij het theater. Om zes uur, zei zij en het werd altijd uren later. Meest kwam zij met mannen mee, die zij voor de bar deed verdwijnen met een moede, aanhankelijke glimlach. Soms bracht zij de mannen mee: Leffie, de kinderlijk mooie en gave danser, zonder één rimpel in zijn gezicht, die bij het groeten Edwards hand altijd lang vasthield; Minaro, de kale minuscule komiek, die kwaad vertelde op een overdreven giftige manier zodat alle kwaad, de meest verdorven toespeling een speelse, luchtige grap werd; Biccora, de vervallen, gemelijke jeune premier uit de jaren twintig, met moeite hoorbaar nu vanaf de derde rij, die elke dag stoombaden nam om zijn lijn te behouden terwijl hij wist dat zijn hart er niet tegen kon. Elke week zag hij er grauwer uit, vervallener. Maar, volgens Minaro, duurde dit verval al twintig jaar.

Toen de repetities twee weken duurden, mocht hij in haar loge of in de coulisses op haar wachten. De revue was een onontwarbaar kluwen. Om de dag veranderden de schrijvers hun tekst, de Engelse girls begrepen geen woord van wat de brullende Menassi, de regisseur, zei wanneer hun Italiaanse balletmeesteres even weg was, de decors werden uit elkaar gehaald, doorgehakt, aaneengetimmerd. Vanuit de coulisses, waar hij gewoonlijk met een der schrijvers zat, een rustige man met een paardenhoofd en bloeddoorlopen ogen, was de revue een waanzinnig ballet in de fluwelen of hardgroene lichten, de hakken van de giechelende, rennende werkers van het Ras van de Glimlach hamerden tegen de plankenvloer als dolle spechten op de maat van Menassi's orders. 'Bologna!' riep Menassi, door een papieren hoorn. De schrijver liet zich naast Edward op de vloer zakken, dook achter een stuk decor en hurkte er hijgend. 'Ik ben er niet,' zei hij zacht. 'Laat hem maar roepen. Alles moet ik toch opnieuw overschrijven.'

'Waarom?'

'Wanneer Sabina Corra komt binnen een week, moet zij een verrot slechte rol voor haar vinden. Dan kan zij tieren en schreeuwen en zich gedurende de repetities alleen op die rol concentreren. Zij moet het gevoel hebben dat men haar boycotteert, dan reageert zij goed, werkt ze hard. Alleen ik ben de zak, want ik mag een splinternieuwe rol voor haar bedenken.'

Jia op het toneel moest nogmaals een wals met de oude Biccora hernemen. Haar rode zijden mantel warrelde, haar zwartgewafelde benen in de netkousen sloegen uit en toen was het over. Biccora gromde. Zij draaide veel te vlug, legde hij haar uit, het publiek zag de uitdrukking op zijn gezicht niet die de weemoed over zijn verloren jeugd moest weergeven nu hij nog eenmaal, voor de laatste maal, deze wals danste.

'Ik vind het leuker als wij vlug dansen,' zei het meisje. Toen de oude verdween, zei Edward: 'Pas op, anders begeeft zijn hart het nog midden de vertoning.'

'Het is zijn droom. Hij zou het heerlijk vinden,' zei Bologna.

'Je mag hem toch niet laten vallen dan,' snerpte Minaro.

'Neen,' zei Jia schor. Zij rookte te veel. Hij herinnerde zich dat Violet het haar altijd heftig verweten had en hoe Jia het toen soms weken naliet. Nu niet meer.

De Engelse meisjes kwamen voorbij, gelijke, lange kinderen uit een kostschool, waarvan de uitgelatenheid, de rauwe grappen nette, afgebakende grenzen eisten.

Toen Sabina Corra kwam, had zij hooglopende ruzies met de regisseur en hoewel zij beiden wisten dat deze ruzies pantomimes waren, een vooruit te zien programma volgden, leefden zij zich uit in scheldpartijen van een ongewone intensiteit. Sabina Corra, de magere benen gespreid, handen in de heupen, haar sterk masker één misprijzende vulgariteit, bracht obsceniteiten uit van een volkse opgewektheid, die insloegen bij de machinisten en de figuranten. Menassi, opgezette uil met sterkgebogen brillenglazen op, zette een schreistem op, eindigde onveranderlijk met te dreigen dat, indien zij zich niet naar zijn richtlijnen plooide, hij onmiddellijk het theater verlaten zou. Moeizaam en al te opzettelijk traag wurmde hij zich dan in zijn jas.

'Vai, vai!' huilde Sabina Corra en afgesproken correct draaide hij zich om. Neen, hij ging niet! Hij was de regisseur, hij gaf de bevelen! Hij ging als híj wilde! Wanneer dan uit de coulisses of uit de zaal een anoniem geproest opging, deelde Menassi nijdig boetes uit. Jia kreeg er dikwijls, maar Sabina Corra deed ze altijd van het register schrappen.

13

Wanneer zij zich niet controleerde – en waarom zou zij het doen, hier in het theater, deze gedwongen huiselijkheid? – had Sabina Corra een uitgezet lichaam, het Romeins figuur dat Jia, hoe mager zij ook was, eveneens liet vermoeden: smalle schouders, een smalle taille die ineens wegsprong en heupen, billen en dijen vrijliet als een volle kruik gesteund op sterke benen. Sabina Corra liep als een zeeman, riep de grofste woorden, maar het was een gebonden spel, zij was al te bewust van haar volkse nonchalance. Was zij mooi? Edward wist het niet. Het lange gezicht met de blinkende dierlijke ogen, de intelligente lach bereikte mannen en vrouwen als een doorlopende uitnodiging, die een naam, een zin zocht. Zij lokte. En wat verder gebeurde met de wezens in haar handen, tussen haar knieën, was waarschijnlijk geen dringend en traag ondermijnen maar het heftig kloven van fijn hout. Hij lachte. 'Zij is een houthakker,' zei hij tot Bologna, die het niet begreep, naar geen uitleg vroeg. Bijna verlegen prevelde: 'Je vriendinnetje krijgt een nieuwe scène. Neem het mij vooral niet kwalijk.'

Een assistent kwam voorbij, had rode ballonnetjes als een gestileerde, opgeblazen bloemenruiker in de hand, hij knipoogde naar Edward en Bologna.

'Ik ben verplicht geweest,' zei de lange schrijver. 'Menassi belde mij om drie uur vannacht en ik moest meteen naar zijn villa rijden, als ik het goed begrepen heb. Wie denkt hij dat ik ben? Een van zijn telegrambestellers?'

Jia op het toneel moest over en weer lopen, met een overdreven heupwiegen.

'Zij weet nergens van,' zei Bologna.

Biccora, geplooid en sluipend als de boze wolf in tekenfilms, volgde Jia op de voet. Het meisje moest zich plots omdraaien en 'O' roepen. 'O,' riep Jia.

'Goed.'

Menassi wenkte de assistent, trok toen Jia's truitje naar omhoog en de assistent schoof er twee ballonnen in. Het meisjes gespannen gezicht, de mond een scherpe, neergedrukte plooi, zocht naar Edward; hij leunde achterover tegen een platte, kartonnen boom.

Zij schudde haar hoofd, liep toen opnieuw heup-wiegend; de wanstaltige ballen die vanuit haar sleutelbeen schenen te groeien, hadden een onafhankelijke, gruwelijke beweging, zij droeg de trilling mee als een weerbarstig elefantiasisgedeelte.

'Vooruit!' Biccora botste tegen haar aan, had de hand geheven en een der ballonnen sprong met een opgewekt klapje, dat het meisje gekwetst op-springen deed. Zij riep 'O' zoals vereist maar te hoog; zij greep haar rechterborst vast die er niet meer was opeens, overmeesterd door de eenzame, nutteloze zwelling links. Biccora schrok overdadig, met zijn gezicht naar het publiek en kwam terug, de wolf-rover; hij zong een vlugge strofe, zijn begerige hand hief zich en prikte opnieuw. Omdat Jia het voorzien had en de ballon beschermend vast-hield, begaf deze het in een grove zucht. Jia stond verminkt en glad, alsof zij geamputeerd was, en de plots allernoodzakelijkste organen haar ontbraken. 'Ik doe het niet,' zei zij.

'Wat!' schreeuwde Menassi. 'En wat doet u dan wel in deze revue, als ik het u mag vragen? Wij betalen u vijfmaal te veel voor wat u doet, weet u dat wel, signorina!'

Sabina Corra kwam berekend traag naar voor, zij streelde haar heupen, gooide een klis van haar voorhoofd. 'Waarom niet, Jia?'

'Neen,' zei Jia. Zij liep recht naar de kartonnen boom, waar zij Edward vond. Zij huilde.

'Hier!' riep Menassi.

'Neen!' schreeuwde Jia terug naar de onzichtbare.

'Duizend lire boete. Nogmaals, signorina, wilt u hierheen komen?'

Bologna streelde over Jia's haar. 'Als zij niet gaat, krijgt zij elke minuut duizend lire meer. Ofwel verbreken zij haar contract.'

Het magere gezicht was aangetast, in de schmink zaten haar tranen als glycerinedruppels. 'Je moet terug,' zei Edward.

'Jij ook al,' zei het meisje. Edward had het ogenblik willen schrappen, dat naakte ogenblik, dat hen zo snel tegenover elkaar had gezet; hij had het willen verbeteren, soepeler, aannemelijker maken, misschien zeggen dat het geen zin had de getergde Menassi op dit ogenblik te weerstaan; hij wist dat zij het niet aanvaarden kon, hij zei: 'Willen wij naar huis gaan?'

Zij knipperde afwisselend met haar linker- en

met haar rechteroog om de tranen gelijk te verdelen, weg te drukken, snoof en trad weer in het groene licht.

Het herbegon en Sabina Corra hield Jia vast toen er ditmaal ook twee ballonnetjes onder haar rok moesten geplaatst worden. Jia moest er haar riem voor losdoen; de welving van de vier ballonnen maakte haar lichaam breed, te wijd voor het verbeten magere gezicht dat zwijgend zijn tranen liet lopen.

'Zij wordt er niet mooier op,' zei Bologna.

'Neen,' zei Edward bevend.

'De ballonnen zijn te klein,' riep Menassi en keek door spleetogen, om het effect te zien.

'Ik moet ook oppassen met mijn veiligheidsspeld, meneer Menassi,' zei de kuchende Biccora, 'ik wil, in het vuur van het spel, toch...'

'Herbeginnen, signorina...'

De draaiing, de botsing, het ijle kreetje 'O,' de groteske verbazing van de wolf.

Jia bleef staan, mak. Toen zei Sabina Corra: 'Neen, Menassi, ik geloof toch dat je hiervoor beter een andere figurante kunt nemen.'

'Hoor je,' zei Bologna, 'alle vrouwen in de revue, behalve zijzelf, zijn figuranten. Nooit zal zij een andere vrouw anders noemen. Dit houdt zij nu al heel haar leven vol.'

'Zo hoort het zeker,' zei Edward.

'Sabina mia, je hebt gelijk.' Menassi liet een nieuw meisje halen.

Op weg naar huis huilde Jia niet meer. In de kamer hing er stilte. 'Ik ga naar de bioscoop,' zei hij. Zij lag op haar buik op het bed, het droge, witte gezicht plette zich tegen het hoofdkussen. 'Tot straks,' zei hij tegen het onbeweeglijk meisje.

14

De Engelse meisjes dansten de 'Droom van een Jongeling'.

Leffie lag halfnaakt. De nimfen, zwenkend, trippelend, hoorden bij hem, hun dans was onbepaald, zonder zenuw. Alleen Clarisse, de eerste danseres, danste in een krampachtig hortend ritme dat haar scherpe, vooruitstekende ribben niet konden bijhouden, leek het. Als een bacchante, losgelaten en wild tegen een te koele, te gladde achtergrond van vertraagde girls, lag zij tegen Leffie's bezwete torso en zij zonken samen.

'Bravo,' zei Menassi. 'Nog eenmaal.'

'Wij geraken nooit klaar,' zei Minaro, gespannen in zijn flesgroen Brighella-pak. Hij veegde met een grote gemonogrammeerde zijden zakdoek zijn kale hoofd af. Het was de laatste week der repetities en Jia had bijna niets te doen in de revue; hier en daar trad zij even op in een sketch, danste een paar maal en kwam buigend groeten op de passarella op het einde. Zij was ontevreden. De splitsing, die Edward nieuwsgierig had gevolgd in het begin toen zij een vederlicht, onwerkelijk wezen in netkousen, met grote, blauwomrande hertenogen geworden was en zich overduidelijk scheidde van het norse, onbevredigde meisje met de Bonaparte-haren 's avonds heel laat in de kamer, had zich langzaam opgeheven. In onvoldaanheid groeiden de gekleurde, onaantastbare en het bedwongen, Romeinse kind samen. Hij poogde ook niet meer haar te naderen. Zij spraken weinig, raakten elkaar niet aan. Hij bracht uren door bij haar kapper of haar naaister. In het begin had hij haar op de weg daarheen ongezien gevolgd, buiten gewacht, zij was elke keer recht naar de kamer weergekeerd, hij stond er met een lauw, lam, nijdig gevoel.

'Toch heeft Bologna van ons allemaal nog het mooiste leven. Zweet Bologna ooit? Heb jij Bologna ooit zien zweten, Edward? Ik niet,' zei Minaro schamper.

'Jij zweet te veel,' zei Edward.

'Geef toe, Bologna, wat moet jij doen, behalve hier en daar en dan nog op aanwijzing van Sabina of van Menassi een paar lijntjes schrijven, die, geef toe, iedereen kan vinden in de moppenblaadjes.'

De lange schrijver knikte. 'Waaraan herkent men de goede revueschrijver, denk je?'

'Aan de auto van zijn agent.'

'Hieraan,' zei Bologna en stak zijn middelvinger in de lucht, bevoelde een eeltbult, waar waarschijnlijk de pen tegen de vinger wreef. 'Aan de bult.' Hij staarde log naar het toneel, waar Lucia, de tweede soubrette, een liedje zong over diamanten, de beste vrienden van een meisje, terwijl zij haar buik rolde, haar benen spreidde en deinde, met haar behandschoende hand haar enorme zwarte strohoed beplukkend.

'Bezie dat. In Godsnaam.' Minaro gleed weg, stond toen achter Lucy met de handen in de heupen, wiegde als een zeer reële schaduw met haar mee; Sabina Corra, die in de coulisses stond en Jia bij de hand hield, kirde. Lucia stampte woedend tegen de plankenvloer en Menassi jaagde de kale dwerg weg met een boete.

Edward liep naar het ijzeren trapje, tussen de geur van de schmink en van de vrouwen, naar Jia's loge. Hij zat er, zag zich in de bevlekte spiegel. 'Ik wilde dat zij mij ergens op een plotse, schokkende manier ontrouw was.' Het was gemakkelijker langs de negatieve kant te beginnen tornen aan het onzeker, veranderlijk touwwerk dat hen beiden bond. Negatief was bijvoorbeeld het geld. Van Carla nam hij het zonder scrupules en zonder blijheid aan. O, hoe had hij, naast grimmige grapjes over haar echtgenoot, haar, de sportieve, gekwetst met de aangedikte gretigheid, waarmee hij de briefjes van tienduizend oprolde en in zijn borstzakje stopte! Bij Jia was er, op dit gebied zoals op de andere, eerder een onwennigheid, heel even storend in de laag onverschilligheid, koelte die hij zag vormen. Die hij bestrijden kon, hij voelde het. De bruine jongeman in de spiegel had een bang glimlachje. Ik ben tot veel in staat, dacht hij, ik word door veel vervuld, maar ik weet alles. Waarom? Een roodharig klein meisje met vlechten en een mand onder de arm duwde de deur open. Zij stond tegen de schminktafel en zette zich toen neer. 'Wie ben jij?' vroeg hij.

'De deur stond open, en het is zo koud op de gang.'

'Hoe heet je, Roodkapje?'

Stroef wrong zij aan een tinnen kruisje dat om haar hals hing. 'Ik ben de cameriere van la signora Lucia, Margherita Canale.'

'Heb je honger?' Toen zij knikte, gaf hij haar vijfhonderd lire en zond haar om sandwiches. Zij kwam terug met chocolade en roomtaartjes. Zij verdeelde alles heel ernstig en zij aten. Zij moest Lucia elke avond komen afhalen, vertelde zij trots. Maar soms waren er mijnheren in de loge. Dan moest zij buiten op de gang wachten.

'En wie is er nu?'

'Een man met een groene hoed. Hij heeft vier auto's,' riep zij triomfantelijk.

'Hoe weet je het?'

'Dat zeg ik niet.'

'Ook niet aan mij?'

'Neen.' En alsof hij een van haar bedreigde gebieden naderde, boog zij en ging naar de deur, keek bij de deuropening nog even om. 'Ciao,' zei zij treurig en verdween. Een ratje, op wie Jia als kind waarschijnlijk geleken had. De tijd gaat snel, gebruik hem wel, zei hij in de spiegel.

15

Het masker was geschokt, Jia duwde aan haar krijt-
wit gezicht, betastte het. Zij hield zich in, wist dat
zij lelijk werd als zij huilde. En zich opnieuw zou
moeten schminken. Vroeger – en het vroeger nam
onoverzienbare afmetingen – was zij zelfzekerder,
moediger geweest. 'Er is niets aan te doen.'

Hij herhaalde het.

'Maar contract is contract. Zij kúnnen mij dit
niet lappen.'

'Je zou misschien oom Turi kunnen raadplegen.'

'Ik heb hem opgebeld, maar hij was er niet, zei de
meid. Hij is jaloers op jou. Zo lang jij bij mij blijft,
steekt hij geen poot meer uit.'

'Zal ik dan maar verdwijnen?'

'Neen,' zei zij onmiddellijk. 'Ik laat mij door die
kerel geen les lezen.'

'Bravo,' zei hij. (Bravo, niet voor de liefde, maar
voor de nijd, de koppigheid.)

Zij vloekte. Op het onverwachtst had de administratie besloten dat zij te veel verdiende voor wat zij in de revue uitvoerde, en had haar loon met de helft verminderd. Daar zat Menassi achter. Wie ook meer dan vijf boetes kreeg, kon zonder formaliteiten er uitgezet worden.

'Voor mij ligt het aan Sabina,' zei Minaro, 'ik vroeg haar namelijk: "Hoe vind je Jia?" "Ik heb geen tijd om mij met de figuratie bezig te houden," antwoordde zij en stak haar o, zo delicate neus uit Trastevere in de lucht. Maar één ding kan ik je wel zeggen, zei zij, die Jia is zo lomp als een koe.'

'Niet waar,' riep Jia, 'dat heeft zij niet gezegd.'

'Neen, ik heb mij vergist. Dat van die koe heeft zij niet gezegd. Maar wel dat je lomp was.'

Jia trok haar blouse verder open, liep op onwennige, hoge hakken naar de Pigalle-scène, naar de Java-melodie die haar pluimen verloren had en op een Napolitaans wiegelied leek.

'Allora, andiamo,' zei zij tegen een besnorde figurant met een geruite pet.

'Luider,' zei Menassi's stem in de zaal.

'De oude heeft gisteren de politie op zijn dak gehad,' zei Minaro. 'Een telegrambesteller heeft een klacht ingediend.'

'Alsof de politie er ooit op ingaat, wanneer het

iemand als Menassi betreft,' zei Bologna.

Leffie's mooie jongensgezicht, dat in een witte sjaal gedoken zat, trilde, zijn neus bewoog als die van een konijn. 'Het is een schande. Niet dat ik telegrambestellers nodig heb, maar het is toch een aanslag op ons privé-leven. En wij hebben het al zo moeilijk.'

Minaro en Leffie legden het uit aan Edward, zij praatten graag over hun verdoemd leven. Menassi, zoals zovele anderen, adresseerde aan zichzelf telegrammen die 's nachts op zijn adres aankwamen, gebracht door jonge bestellers.

'Dan zoek je naar kleingeld.' Minaro zocht krampachtig zijn zakken af. 'Je vindt niets, je zegt de jongen binnen te komen, je kijkt vlug het telegram in. O, roep je uit, Madonna, la mia povera, cara mamma, aie, aie.' Minaro nam Leffie's hand, die haar aarzelend in het weke, vuile klauwtje liet. 'Ik ben alleen op de wereld,' begin je te schreien, 'niemand heb ik meer...' Dan schonk je een likeurtje in, en de besteller troostte. Soms afdoende. Tegen een fooi. Of een tarief.

'Je moest het eens proberen, Edward,' grijnsde Bologna.

'Als Jia er niet is,' zei Minaro.

'Dan kan je mij veel beter opbellen,' lachte Leffie.

In de zaal klonk de opgeripte, schrille stem van de vervolgde Menassi. 'Herbeginnen,' en Jia zei: 'Allora, andiamo?'

Toen hoorde zij Menassi maar heel vaag meer.

'Hij loopt in het theater rond. Hij doet het altijd als hij boos is. Of bang.'

'Herbeginnen.' Maar voor de stem uit de galerijen haar galm beëindigd had, riep Jia even hard, maar scherper en wilder: 'Allora, andiamo? Allora, andiamo? Allora, andiamo? Allora, andiamo, caragna!'

'Capucci, teken op: tweeduizend lire boete!'

'Ja,' gilde Jia, 'die je aan mij moet betalen wegens onbeschoftheid!'

Het was stil ineens en zij hoorden allen het gehijg van de man die naderde, bebrild en log tussen de girls schoof, zijn wijsvinger puntte. 'U gaat eruit.'

'Ik zal het aan Sabina zeggen.'

'Zeg alles!' riep de regisseur. Hij rukte zijn hemd open, molenwiekte. 'Zeg alles. Jullie allemaal, zegt, alles wat jullie weten. Het kan mij niet schelen, weten jullie dat!' Hij draaide woest over en weer, zijn bril hing scheef.

Toen Jia langs hem vluchtte, wilde Edward haar opvangen, maar zij snauwde hem toe: 'Laat mij gerust'; zij liep de ijzeren draaitrap op, die naar Sabina Corra's loge leidde.

'Wat steek jij toch uit met haar?' vroeg Bologna. 'Zij weet niet wat gedaan met haar vel, de laatste tijd.'

'Ik weet het niet.'

Toen hij voorbij de halfopen deur van Sabina Corra's loge kwam, zag hij Jia die aandachtig Sabina's borst poederde met een groene kwast. Sabina Corra knipoogde hem toe.

Hij liep door het park van de Villa Borghese, bekeek de rijkemansjongetjes die rijles kregen. De paarden die over de hindernissen leerden springen. Wanneer de paarden haperden en de witte slagboom viel, moesten zij ervoor stil gaan staan en kregen zij zweepslagen op hun achterpoten, op de linkse of de rechtse, terwijl de ruiter hun iets toeriep, een of andere verwensing die hun ten goede moest komen. Soldaten liepen sjokkend, in paren rond. Het ruiterstandbeeld van Vittorio Emanuele zou de lucht niet inspringen, het was te bronzen, te vast, te dicht aan zijn voetstuk gekleefd. Aan de vijver met de tempel en de motorboten zaten moeders met hun kinderen, hun gekakel spoelde om hem heen. Toen waaiden er wolken over en werd het donker. De Tiber was grijs met zilveren vegen waar er draaikolken waren. Geen rimpels, alleen draaikolken. Overdag was de stroom moddergeel, soms tegen valavond werd hij grasgroen en vol geluiden, insecten en stemmen die moeilijk door de damp heen kwamen. Harmonica's speelden nu en onder lampionnen dansten de mensen op de plankenvloer waarop zij overdag zonnebaadden. De eerste hoeren wandelden.

Jia zat in bed. Toen hij ernaar vroeg, zei zij dat Sabina beloofd had Menassi in toom te houden. Alles zou nu beter gaan, liefje, liefje, want binnen vier dagen vertrekken wij naar San Remo. Hij gleed naast haar, in de bekende warmte. Zij moest gauw slapen, zei zij, want morgen werden er foto's gemaakt.

De nacht tussen de kast, de tafel, de gordijnen, als stof. Zij lag met open ogen. Haar mond draaide, alsof zij iets heel zuurs at. 'Het gaat niet meer, Edward. Vergeef mij,' zei zij als een uitdaging.

Hij dacht: Zij heeft mij nooit toebehoord. Ligt het aan mij? Natuurlijk.

16

De kust van San Remo, met de wijde, witte dijken, de hoge en vertakte palmen, de hoteldaken als buikige klokken, had een ander gezicht dan de aangevreten landstrook van Perenna. Edward stond in de tuin van het Casino toen het dag werd. De zeewind waaide, scherp en zout. Jia repeteerde in de ronde pluche zaal, niemand mocht ontsnappen; gedempt en gerekt klonk voor de honderdste keer dezelfde melodie, dezelfde maat. Toen kwam Bologna, keek moeilijk uit zijn ogen, die omwald waren en vuurrode randen hadden als met een lippenstift getekend. Hij herkende Edward bijna niet.

'De hele revue is merda. Niets. Niets. Wie liet mij dit toch verrichten.'

'Het is de angst voor de première.'

De as viel van Bologna's sigaret op zijn das, hij wreef de as weg, moe, onbezorgd. 'Ik ben versleten. Niet van het werk dat ik verricht heb, want het schijnt dat werken een zekere voldoening biedt.

Neen, ik ben versleten tot op de draad door toegevingen, lafheden, overeenkomsten. Elke idioot die mij betaalt, geeft mij zijn opinie, zijn raad, zijn wenken, en als hij genoeg betaalt, zijn bevelen. Na zo veel jaren, en het zijn er twintig nu in dit vak, wordt iemand stukgewreven. In dit vak winnen de zwaksten het, zij die toegeven kunnen. Ik bied weerstand elke keer. O, je merkt het niet als je mij betaalt, ik doe mijn mond niet open, ik doe precies zoals je zegt, commendatore (zijn lippen zochten als kieuwen naar een vochtige glasrand), maar ondertussen weersta ik. Niet uit alle macht maar in stukjes, in opmerkingen, nooit geformuleerd. Die stukjes maken je klein.'

De eerste warmte, de uiterste tochtjes waartussen de warmte in de morgen gleed bereikten hen. 'En jou, Edward, mijn jongen, vaart het ook al niet beter.'

'Neen.' ('Misschien.')

'Je bent jong.' (Hij ook al, dacht Edward, klampt zich daaraan vast, houdt zijn leeftijd als een schild naar buiten.) 'En je hebt Jia.'

'Inderdaad,' zei Edward, 'kom, wij gaan naar binnen.'

Menassi trappelde als een kind dat zijn zin niet

gensstem in de klare, sterke morgen was een laf geluidje. 'Ik weet niet wat die anderen doen, maar voor mij is de kunst niet genoeg. Ik heb genegenheid nodig. Iemand. En er zal nooit iets uit die Basso groeien. Misschien houd ik daarom wel van hem. Ik heb medelijden. Maar ben ik daarom een zak, Edward, een zak...? Wel, Minaro zegt het van mij, achter mijn rug, ik weet het.'

Zij vonden een bar die al open was, waar arbeiders discussieerden, een vreemd volk dat bij dageraad opstond. 'Kijk, Edward, Orion nog.'

Zij dronken koffie.

'Wat heb je aan je lip, Edward.'

'Een koortslip?'

'Of heeft Jia je gebeten?' Ik zou zoiets nooit doen. Het is gevaarlijk. De beten van een mens zijn gevaarlijker dan die van een rat of een varken, weet je dat?'

Niet luisteren. Niet antwoorden.

Naarmate het lichter werd en de dijk bevolkt, hervatte Leffie zich en zijn monoloog liep rustig over in de gretige evocatie van zijn triomf vannacht. Hij beefde. 'Iedereen riep: "Leffie! Leffie!"'

18

Het haar, opgekamd, zat in een kuif. Haar spleetogen, haar gezwollen gezicht 's anderendaags wek-
ten een warm, bijna huiselijk gevoel in hem. 'Je lijkt
een clown.'

'Ik weet het wel,' zei zij.

'Neen, je weet het niet. Het was een clown die ik,
als kleine jongen, eens in een circus zag. Met een
rode kuif en een enorme puntneus' (zij pulkte aan
haar neus, wreef er aan) 'en hij kefte als een das-
hond. Om je ziek te lachen.'

'Ik ben ziek.'

'Je hebt te veel gedronken.'

'Je hebt mij geslagen.'

'Wie zondigt moet gestraft worden.'

'Ben je nog kwaad?'

'Zag je mij dan niet gisteravond voor de uitgang,
vlak onder de lantaarn?'

'Stond je daar? Ik heb naar je gezocht, maar ik
vond je niet.'

'Je liegt. Ik stond vlak bij de uitgang, ik zwaaide je toe. 'Jia,' riep ik en je zag mij heel duidelijk, maar meteen keek je weer weg en lachte mij uit met je vriendinnen.'

Zij dacht na. 'Niet waar, je was er niet.'

'Hoe kan je het weten? Je was zo dronken.'

Zij had champagne gedronken in Sabina's loge. Was toen met Lee meegegaan.

'Iedereen ging met iemand mee. Je weet niet wat het betekent, een première. Ik kon niet blijven zitten of staan, kwikzilver was ik, en toen de champagne kwam, heb ik aan de fles gedronken, wel vijf minuten lang en iedereen applaudisseerde. Ik wist dat je wachtte thuis, en ik ging naar de deur, maar Lee op de divan nam mij bij mijn enkel vast en toen draaide ik mij om en de hele kamer vol lachende mensen stond er, en zij praatten zo vriendelijk, zo gelukkig met mekaar omdat het een succes was. Het kon mij ineens niet schelen dat het smeerlappen waren die je stootten met de ellebogen, die zich voor je dringen of kletsen achter je rug, die de passarella in de war brengen, ik wist het niet meer, zij waren zo opgewekt, zo verwarmend was hun geroezemoes dat ik wilde bij hen horen, dat...'

'Ik vergeef het je nooit.'

'Waarom niet? Waarom niet?' Zij zette haar lang-vergeten gezicht van de liefde, haar vroegere nacht-blik op, maar de lijnen, verstrooid en gezwollen, plooiden niet mee.

'Wat deed Basso dan in je kamer?'

'Is hij hier geweest?' Zij wilde tijd winnen, bedenken.

'Je weet het wel.'

'Hij heeft mij naar huis gebracht in de taxi. Hij heeft mijn nek gestreeld, en ik de zijne.'

'Vond je het prettig?'

'Ja. Ik had te veel gedronken. Als hij in mijn bed gekomen was, had ik het ook toegelaten.'

'Ik had het gehoord, weet je dat?'

'Ik dacht niet aan jou.'

Een meid zong in de gang terwijl haar stofzuiger aanhoudend ratelde, af en toe snorkte. In Perenna waren er duiven geweest. Wilde hij dat zij loog, dat zij hem vlug toeriep dat het onmogelijk was – zelfs buiten bezinning, zelfs op handen en voeten – dat zij een andere lichaamswarmte, een andere streling kon verdragen? Eigenlijk wel.

'Je moet het vergeten, ik wil het, Edward.'

'Van nu af aan zal ik ook op de passarella komen, je hand nemen en je naar het hotel brengen.'

'Doe dat.'

'Of zal ik mijn koffer pakken, naar mijn land te-ruggaan?'

'Doe dat ook, als je wil.'

'Wil jij het?'

'Neen.'

'Nog niet?'

'Nog niet.'

Zij was zeker van haar zaak, zij wist dat hij niet weg wilde, zoals zij gehurkt in het bed zat en haar kleur terugkreeg, haar gebaren hun zekerheid terugvonden. Hij lag met zijn hoofd in haar schoot, zij reed haar vingers door zijn haar. 'Waarom ben je niet heimelijk toch naar het theater gekomen? Ik wilde het eigenlijk. Ik heb alleen voor jou gespeeld.' (De magere dansjes, de uitgedunde woorden, de bewegingen die de tijd niet hadden op het toneel om onkuis te zijn, voor hem!) 'Weet je, Sabina op het laatst, moest de hele rij medespelers groeten, wel, zij ging vlak voor mij staan, boog en knipoogde naar mij.'

Hij dacht aan vertrekken, welke koffer hij mee-nemen zou, welke jas, welke schoenen, en of hij niet beter wachten zou tot vrijdagavond wanneer zij betaald werd. Hij kon rustig het weekgeld meenemen, zij redde zich gemakkelijk. Hij stond al in de morgenstraat, zwaaiende naar het dichte raam waarachter zij sliep.

'Lee was zo opgewonden. Iedereen heeft vast haarpijn vanmorgen. En Basso schreien omdat Leffie er niet was!'

De treinen die wachtten. Hij stapte in de eerste de beste binnen. Hij moest een kaartje nemen op de rijdende trein en een extra-taks betalen, maar ineens kon hij het niet want een Napolitaanse schoenpoetser had het geld uit zijn binnenzak gestolen. En bij de uitgang in Napels, na het politieonderzoek, stond hij zonder kleren, zonder geld, met niets in zijn zakken, en niets te eten. Op een bank in het park deelde een vieze oude vrouw haar koude spaghetti met hem.

Het is hetzelfde. Het komt op hetzelfde neer dacht hij, tegen Jia's elastisch lichaam. De gegevens ontbreken. Alleen de meest nabije gegevens kunnen ons beginnen verwant worden.

'Gaat er iets niet? Wees niet bang, liefje, het zal niet meer gebeuren.'

Na een grote pijn komt een vormelijk gevoel. Het gevoel was er. En hij kon het niet verdragen, hij lachte het weg. Als wij getrouwd waren, kusten wij onze ringen op zo'n ogenblik, dacht hij, of brachten wij een bezoek aan haar ouders.

'Iets anders, jongetje, vannacht, of liever, vanmorgen toen je in mijn kamer kwam en mij geslagen hebt, wat heb je daarna gedaan?'

'Niets.'

'O neen.'

Hij schrok van wat zij veronderstelde, zei: 'Sei morbida,' maar het was verkeerd begreep hij te laat, morbida betekent: zacht, *morbosa* had hij moeten zeggen; het meisje schaterde.

'Het is niet waar,' riep hij heftig, 'ik heb je niet aangeraakt.'

'Wie dan wel? De cameriere?' Hij kwam van haar los, zij wilde hem zoenen, maar zijn koortslip deed pijn. Zij, een kat in de hoek van het bed, dacht dat zijn gezicht van weerzin vertrok. Zij zei koppig: 'Je was het toch, vanmorgen.'

'Je moet de cameriere laten komen om warme compressen te leggen,' zei hij.

'Dank je voor de bezorgdheid.'

19

De tijd was lang maar verdraaglijk, vooral in Genua, waar Edward steeds opnieuw het marktbedrijf der straten, de ingewikkelde straten met de vlaggen van de was erboven als versnipperde zeilen, kon volgen. Hij ging niet meer naar de vertoningen 's avonds; wel als er geen feest was met vage directeurs, notabelen of journalisten ging hij Jia afhalen, maar om de drie dagen was er feest. Zij kwam onvermijdelijk dronken thuis; hij hoorde haar in haar kamer tegen de meubelen aanbotsen en neuriën. Soms vond hij haar in de loop van de avond in gezelschap op straat, bijvoorbeeld met Sabina Corra voor de drempel van een nightclub, terwijl fotografen aan het werk waren. Het magnesium deed het niet en de twee omarmde vrouwen in de klare mantels moesten hun entree herbeginnen. Het gebeurde soepel, prompt verschenen hun gewoontelachjes die de gave tanden vrijlieten. Zij leken op mekaar. Jia riep hem iets toe en een fotograaf (uit gewoonte? uit spel?) deed het licht in zijn ogen flitsen. Met sterren, vlammen, groene vernauwende cirkels achter de oogleden liep hij weg. Was onredelijk kwaad. 'Zij hoort bij haar gelijken, de motten rond de lamp, het ras van de glimlach.'

Gewoonlijk vond hij haar terug rond twee uur 's middags wanneer zij wakker werd en in bed ontbeet. Vandaag niet. Hij at in het restaurant op het dak van een wolkenkrabber. Genua lag ver beneden, vergeten, duidelijk verdeeld in het oude gedeelte verweerde stenen, stukken grauw brood en de belachelijk smalle blokdozen op de heuveltjes waarheen de trams leidden en de bussen. Later regende het maar hij wilde niet terug naar het pension, naar het naar mottenballen ruikende appartement waar de conciërge met zijn verzamelde familie steeds in de hal zat; hij dronk rum, te veel en de rum was te duur, zodat hij rond vijf uur zijn laatste honderd lire aan de liftjongen gaf.

Bij het station was een kermis aan de gang. De regen had iedereen weggejaagd, alleen de foorkramers bleven verkleumd in hun breekbare, helgeverfde hokken. Een draaimolen waarvan de gekrulde wagens reuzenhoofden van goden en godinnen als voorstevens van geknotte schepen droegen, waaide zijn vertakt wiel stilletjes rond. Hij had er willen in zitten maar er was geen geld meer. De scheve man met de stoppelbaard, bij het hart van de machine, zei dat hij dan maar vanavond of morgen moest betalen. Edward reed een traag wentelende wereld af. Nettuno heette zijn wagen, en de god stak de stengel van zijn drietand uit, die afgebroken en herschilderd was, een wijnrode biljartkeu. Elke keer dat hij voorbijreed, lachte de scheve man, de molen ging vlugger, de huizen en de Montagne russe wiekten voorbij, hij waaide de man tegen, die vele gezichten kreeg. 'Basta,' riep hij en de zee zakte, hervond haar grenzen.

'Vond je het leuk?' vroeg de scheve.

'Ja, ik betaal je vanavond.'

'Of morgen. Ik vertrouw je wel.'

Op een verhoog stonden twee Arabische meisjes, het ene in een Chinees kostuum, het andere, een kippenveer in het haar, had krijtcirkels op haar wangen getekend. 'De volkeren der aarde' heette de tent. Toen zij hem zagen, die door de plassen, het grint dat modder werd, aangewaad kwam, liep die met de veer naar binnen en onmiddellijk daarna raspte een grammofoonstem dat binnen drie seconden het spektakel, het leerzaam en genoeglijk spektakel zou beginnen. De stem, overdadig en rauw tussen de verlaten monstertuigen, het vlakke, beregende plein was naar hem gericht, een fluistering binnenshuis die onverklaarbaar te heftig was aangezet. Het overblijvend Arabisch meisje wachtte, de benen gespreid, haar armen gekruist; als zij niet zo tenger was geweest had dit een worstelaarshouding geleken, nu was het een verwachting, een niet afgestompte nieuwsgierigheid. De oogopslag van de danseres, de koopvrouw, prostituee had de uitdaging van Jia in de eerste weken.

'De vertoning begint, dansen van de verschillende volkeren op aarde, ziehier voor u, Lotusbloem de Aanbiddelijke, honderd lire, en vijftig lire voor de heren militairen en voor de kinderen onder de tien jaar, een leerzaam spektakel.'

Het water liep in zijn nek, het Arabisch meisje draaide haar heupen, tippelde over en weer, twee opgerichte wijsvingers naast haar ernstig gezicht. Hij schoof dichterbij.

'De vertoning begint,' zei zij tegen het modderplein, met een intonatie die voor hem bestemd was.

Waarom deed zij het? Waarom danste zij hier? Was het een familiebedrijf? Zij was in ieder geval mooi genoeg om veel meer geld te verdienen, honderd meter verder in een matrozencafé. Hij vreesde dat een heimelijke ziekte de oorzaak was van dit eenzaam, onkundig, grof koketteren. Of wist zij niet beter? Misschien wilde zij niet anders. Hij benijdde haar.

Hij slenterde naar 'Tamara, de Vrouw met de Cobra', een oude vrouw in peignoir die aan plots opduikende schooljongens en jonge meisjes vertelde hoe de cobra 's nachts aan haar voeteneinde sliep en eventuele muizen ving. Een grijze zon brak door, de regen hield op. Rond Tamara kropen twee dwergen in groene maillots; uit hun schouders en liezen staken even groene ijzerdraden, zij moesten waarschijnlijk spinnen voorstellen, het was zeer onduidelijk.

Toen bleef hij voor een plakkaat staan met de foto van de vrouw met de twee hoofden. In avondkledij zat de vrouw in een rococostoel, de twee hoofden pasten precies in haar volle, spierwitte keel en lachten vriendelijk; op de achtergrond verhief zich de maan over glanzende bergen. Het was een duister gebeuren, de zachtblonde hoofden leken in de ban van een beklemde verschrikking, het lichaam met ineengestrengelde handen sloot dreigende plooien in. Hij had het willen zien.

De rups ontvouwde zich en sloot haar vleugels over schreeuwende, lachende, zoenende mensen. Plots was het kermisplein heel vol. Over de huizen heen snorden de wagens van de Montagne russe. De vrouwen bij de schietkramen kirden.

Ineens vloeide het plein dat tot nog toe in de bochten en slingerwegen van de kramen gewrongen lag, open tot een glinsterend veld dat in de dijk overliep. Korte palmen zetten op een rij de straat af, splinters in de lucht. In de zee, die vast leek als cement en de mist schraagde over haar hele vlakte, lag een vliegtuig-moederschip, onbeweeglijk, met het dek, plat en effen als het water en de gave, ronde kanonlopen naar de kust gericht. 'Ik ben trefbaar. Ik zit midden in de roos. Niets beschermt mij.'

De kermis werd onhoorbaar.

20

'Ik ben ziek. Kom bij mij zitten. Houd mijn hand vast.'

Hij zat.

'Als ik een kind kreeg, wat zou je zeggen? Zou je schrikken?'

Hij haalde zijn schouders op. Haar polshorloge tikte tegen het marmer van de toilettafel. Hij haalde haar weg.

'Ik heb een kind,' zei zij. 'Hou je nu nog van mij?'

(De bedrogen maagd was angstig dat haar rijke verleider, baron Van Hemelrijck, haar verlaten zou.)

'Neen. Niet meer. Juffrouw, onze liefde is voorbij, zoals de lente.'

'Ik wist het,' zei Jia. Zij had hoogrode vlekken in haar gezicht. Het was dus toch waar. Slechte bloedsomloop, duizelingen...

'Is het waar?' riep hij, en zag haar vermagerd ineens, met groeven om haar neus, met schaduwen bij de oogholte. Of was het schmink van gister-avond nog? Hij wreef erover, de gele, vette schmink kwam op zijn vingers zitten.

'Je houdt niet meer van mij.'

'Jawel.' Een golf tederheid zwol aan, die hij niet weerstaan kon, die zijn ergernis aanvulde, onder-dolf. 'Laten wij het houden,' zei hij. Zij sprong op en trok aan zijn haar. 'Ik heb je vast, het is niet zo,' lachte Jia. Hij trok haar deken weg, zij vochten en in de worsteling lachte hij mee, om de bekende dicht-bije vormen die het gevecht aannam. Toen zij rus-tig lagen likte zij de lijnen van zijn voorhoofd weg.

'Het had kunnen waar zijn,' zei zij. 'Ik ben er elke keer bang voor.'

'De anderen,' vroeg hij, 'waren zij, zoals ik, be-zorgd zoals ik...' Zij kneep zijn lippen dicht. In de lichtblauwe, vierkante kamer lag hun bed opnieuw als een eiland.

'Ik ben gelukkig,' zei Jia. 'Het is beter het luidop te zeggen terwijl je het bent. Anders loopt het weg en herinner je je het niet meer. Nu is mijn stem er nog. Om de herinnering op te houden. Voor later.'

'Misschien zal je het niet nodig hebben, later?'

Haar gemeen lachje: 'Wat denk je?'

'Het hangt van jou af.'

'Je bent dom, Edward, en kinderlijk. Je bent een gevaarlijke gek, (wat was de stem onduidelijker, ouder, die dezelfde woorden zei als jaren geleden, op een brandend, op een koel strand), 'je denkt werkelijk, jij, dat het geluk duurt omdat je het wil, dat het geluk van jou afhangt.'

'Ja.'

'Anders was je ongelukkig. Ja. Natuurlijk.'

Na een tijdje: 'Als je denkt dat er op deze manier iets van mijn carrière terechtkomt! Oom Turi heeft gelijk. Zolang jij in de buurt bent, kan ik wel meteen terug naar Cinecitta in de rij gaan staan als figurante. Jij moest mij eigenlijk schadevergoeding betalen voor elke dag dat je bij mij bent. Je ruïneert mij helemaal.'

'Jij ruïneert mij ook.'

Zij rekte zich. 'Ik heb een afspraak met Sabina voor foto's; ik moet met haar mee, daarna naar een meneer Matassini, die een theater heeft in Milaan.'

'Maar je zal het niet doen.'

Zij kroop tegen hem weer. 'Neen. Ik ga spumante drinken en kip eten vanavond met iemand anders. Iemand die mijn hand vasthouden zal.'

'Ken ik hem?'

'Gevaarlijke gek.'

Verwonderd, steeds opnieuw, streelde hij haar piekharen, de koolzwarte, verzachte egel die om haar hoofd geplooid zat, dik in de nek. Hoe onbereikt, hoe vreemd is zij, dacht hij.

'Je bent een andere aan het worden,' zei Jia.

'Je weet niet meer hoe ik was. Je denkt dat ik was zoals je mij nu, zoals je mij altijd zou willen.'

'Je was vroeger zoals ik wilde.'

'Neen,' zei hij. 'Jij was vroeger zoals ik wilde.'

'Neen,' riep zij. 'Vlug!' riep zij en zij omklemde hem. De donkerte in haar blik bleef na, haar lippen gleden over mekaar, haar tanden zochten iets, hij kon er niet bij. Ook 's anderendaags. Ook dagen later. Zij wisselden abrupte woorden. Zinnen als wrijvende, niet bevredigbare lichamen. 'Wat wil je?' – 'Niets.' – 'Ben je treurig?' – 'Neen.' – 'Wat is het dan?' – 'Ik weet het niet.'

Wanneer de spijtige, omrande ogen hun verwildering opvoerden, en hij toegaf, haar streelde, bereikte zij een gesluierde, dichte verlossing met het gerochel van een duif. 'Wat wil je? Wil je Lee?' – 'Neen.' – 'Sabina?' – 'Neen,' zei zij dringend.

Toen lag Turijn – het Italiaanse Parijs zoals de troep het noemde – onder meterhoge sneeuw, een gedempte stad waarin elegante poppen wandelden.

De dagen, daar het pension waarin zij woonden op twintig meter van de schouwburg gelegen was, waren lang, alleen afgesneden door de vlugge ren naar de schouwburg 's avonds door de sneeuw. Toen de dooi kwam, kreeg Turijn duidelijker straten en galerijen, de druppels vielen onophoudelijk van de daken. Vier bergbeklimmers uit de stad verongelukten die week. Edward las detectiveromans die op elkaar leken, speelde de drie soorten patience die hij kende. De combinaties waren vertrouwelijker dan huisdieren of Jia. 'Als de eerste boer die uit het spel komt (want hijzelf was de boer, de jonge, onschuldige figuur in het spel, haha) maak ik mijn koffer en ga vanavond tijdens de vertoning naar het station.' De boer werd rood, maar hij ging niet. Hij wachtte Jia af in de sneeuw, bij het standbeeld van Cavour. Landlopers lagen onder tentzeil aan het voetstuk. Ik kan er bij gaan liggen, het zou niets, niets veranderen, dacht hij.

21

Op het onverwachtst belegde Sabina een speciale repetitie in de namiddag. En tussen de diergeluiden, de uithalen van de blaasinstrumenten, de starre, onverdraaglijke bedrijvigheid van de acteurs liep zij ongemakkelijk. Het leek alsof iedereen, blij, haar zenuwachtigheid trachtte te verhogen want de sketches (bij gebrek aan het stimulerend publiek? of met opzet?) verliepen traag, zonder pointe. Leffie, bezweet en lachend, praatte in de coulisses met Minaro.

'Zij wil het steeds vlugger, steeds atletischer gedanst zien. Zij weet niets van dansen af en dat kind van haar nog minder, maar neen, zij wil het vlugger. Ik word gek. En mijn masseur is er ook niet.'

'Misschien kan Edward je helpen.' Minaro knipoogde.

'O, neen. Hij haat mij,' zei Leffie.

'Ik?'

'O, denk niet dat ik het niet weet, Edward. Je bent

slecht. En een huichelaar. Denk je dat ik niet weet dat je Lee ophitst om mijn haar door elkaar te wrijven tijdens de Droom van een Jongeling?'

'Doet zij dat?' lachte Edward.

'Varkens!' schreeuwde een trappelende Sabina Corra. 'Jullie doen het opzettelijk.' Zij sloot haar ogen en kamde haar haar met razende vingers.

'Maar wij voelen met je mee, liefje,' zei Menassi.

'Jullie weten niet wat een moederhart betekent.' De ongeduldige vingers zochten een weg over de gezwollen borsten, over het kropgezwel, onder haar kin. Zij klapte in haar handen. De lichten moesten opnieuw geprobeerd worden.

'Die lichten zijn nu al honderden keren goed gegaan, waarom zouden zij vanavond opeens mislopen?' zei Leffie.

'En wat heeft het kind er aan?' zei Minaro. Sabina Corra's blinde kind zou vanavond de voorstelling bijwonen.

'Heb je de vader al gezien, Edward?' Minaro wees naar een lange, blondgeverfde man in een witte kameelharenjas, die bij Sabrina stond. 'Is hij niet mooi?' Minaro's spleetogen in het kale ronde hoofd blonken haatdragend, bang. Sabina Corra lachte met haar mond wijdopen, sloeg met losse vingers de platinavader in de lenden. 'Hongerlijder,' zei Jia. 'Hij komt haar alleen bezoeken als hij geld nodig heeft.'

'Hier staat nog een hongerlijder,' zei Edward.

'Neen. Jij niet,' zei zij troebel. Hun verhouding had geen stekels meer of vriendelijke, zoekende vingers, maar vlotte langzaam. Dreef trage, wederzijdse wiggen in hun hout. 'Wanneer ik doodmoe, log en dronken naast haar neerval 's nachts en zij mij aanraakt in vertwijfeling, wat is het dik, bitter gevoel dat rijst?' Hij blies in haar nek, in de plooien die haar zilveren kraag er maakte. Het bloedrood pak met de zilveren strepen over de borst had bij haar iets vertrouwelijks, eigens, als een pyjama of een badmantel. Zij huisde natuurlijk in de wildhoekige verkleding.

'Je denkt kwaad over mij.'

'Neen, Jia. Nooit.'

Toen de platinaman langs hen heen kwam, overdreven snoof in de naar zweet en schmink ruikende coulisses, groette Minaro hem gretig. 'Cia Portese.'

'Uit de weg, halve portie.'

'Hoor je dat?' zei Minaro lijkwit.

Toen klonk in de luidsprekers van de loges en het toneel de lage stem van Sabina Corra, stiller dan gewoonlijk, onduidelijker. 'Prego. Attenzione,' zei de stem van een oude vrouw zonder gezicht, maar met een kropgezwel, met een keel die zich sloot. 'Prego. Speelt allen goed vanavond. Alstublieft. Voor mijn kind in de zaal. Ik zal er u zo dankbaar voor zijn. Prego.'

'Vier keer prego. Zij overdoet het,' zei Minaro.

's Avonds zat het blinde kind, een dikke, gekrulde jongen, op de vierde rij. Zijn vader legde hem alles uit. Uit Sabina Corra's tekst waren alle dubbelzinnige woorden weggevallen, het orkest speelde harder, leek het, de Engelse girls en Leffie zwaaiden inniger door de Droom van een Jongeling.

22

In Milaan vervroor de dooi elke nacht. 's Nachts
gleden Edward en Jia gearmd door de verlaten
gaanderijen waarin de duiven koerden, door het
rafelig, grauw karton van de stad. Zij lag tegen het
dunne, gevlamde hout van de lift, die steeg. Met
sleutels en messen had men de wanden volgekrast
met harten, naakte vrouwen en namen. Als wij
minnaars waren, dacht hij, zouden wij voor de deur
beneden kussen, onze monden zouden zich niet
lossen tijdens de lifttocht, moeilijk, met zoekende
handen zouden wij de betraliede deur openkrijgen,
onze kamer vinden! Zij gingen door de gang, de
centrale verwarming ruiste, een onderaardse bor-
reling.

'Ben je moe?'

'Neen.'

Het pension rook naar cacao en tapijten, hun kamer naar Jia's lichaam. Door het raam was de Dom
te zien en de daken, vlakjes van een speeldoos; op

de glazen koepel van de Galleria lagen papieren, vodden, sigaretten, dozen.

'Wil je kaartspelen?'

'Neen.'

Zij zat in de zetel die zij 'de koets' noemden vanwege de wieltjes. Hij blies rondjes sigarettenrook, een kleine in een grote, een bijna-vierkante, een ovale. 'Je ziet er uit als een beest als je dit doet.'

'Anders niet?'

'Ook wel als een beest, maar minder.'

'Geef mij geld. Ik ga naar de bioscoop.'

'Neen.'

Hij vouwde een vlieger en gooide hem uit het raam, de vlieger cirkelde lomp naar beneden als een zieke vlinder.

'Je kan het niet eens,' zei Jia, 'je kan niets.'

'Ik kan pianospelen.'

Het sneeuwde dunne vlokken. Vroeger (en dit vroeger nam afmetingen aan, het seizoen der liefde werd uitgerekt) had zij vollere lippen gehad, was haar huid gladder geweest. Of had hij haar niet duidelijker gezien?

'Ben je moe?'

'Neen.' Zij vloekte. Het was te koud om het raam open te doen, de rook beet in zijn ogen.

'Er is mij een man achternagekomen gisteravond,' zei Jia.

'Ik ken het verhaal al.'

'Je wil het niet horen, hè?'

Af en toe veranderde het verhaal. De man had haar aangesproken in de lift, of de man had haar in een nauwe straat gevolgd, of terwijl zij angstig in de tram sprong haar even aangeraakt. Ofwel had de man in de tram zich tegen haar gedrongen zodat zijn adem, die naar tabak rook (dit veranderde nooit, steeds was er de hete, slechte lucht van tabak), in haar gezicht blies. Soms was de man heel groot en sterk. Soms tenger en vies. Verleden week had er een naar haar geroepen als een kater.

'Zeg dat je het verhaal niet meer kan aanhoren, dat je het niet kan verdragen dat een ander mij aankijkt.'

'Ik kan het niet verdragen.'

Met zijn rug naar haar toegekeerd stond hij voor het raam, de stad stak haar lichten aan.

'Het was een oud ventje met bloeddoorlopen ogen. Ik begon hard te lopen, ik hoorde zijn gehijg vlak achter mij, ik dacht: zijn longen barsten nog. Maar hij kon niet meer mee, het kereltje.'

'Was je bang?' Hij gaf haar voeder.

'Natuurlijk.'

'Laat ons gaan slapen.'

'Er is niet anders te doen.'

'Neen.'

'Ik zou een kind willen. Soms. Maar ik ben nog te jong. Het kan niet voor mijn carrière. Alhoewel daar toch niets van komt, zolang je in de buurt bent.'

'Dat is niet meer zolang,' zei hij. Het licht van de Grote Magazijnen, groen en rood, flitste, vormde letters.

'Maar voor mij is het toch al te laat.'

'Natuurlijk niet. Je hebt nog al de tijd.'

'Ik wilde dat je niet bestond,' zei zij. Naast haar bewegend, kauwend gezicht zat een langwerpige kever. De lichtglans maakte hem ronder, een inktvlek met een bult.

'Hij slaapt.' Edward wees.

'Doe hem weg!' gilde Jia. 'Sla hem dood!' Uitzinnig sprong zij naast hem, vatte zijn arm.

'Het beest mag net zo goed leven als jij.'

Hij nam een schoen met crêpezolen van onder de kast en hief hem.

'Wacht,' zei Jia verstikt, naderde schoorvoetend. 'Hij is dik,' fluisterde zij, 'en zwart. Hij weet niet wat hem te wachten staat.'

Met het penseeltje waar zij haar lippen mee kleurde, duwde zij op de kever. 'Hij is zacht,' maar haar gestrekte arm beefde en ineens was het beest van de muur gegleden achter de divan. Jia liet zich op de grond zakken, leunend op haar ellebogen loerde zij in de donkere holte. 'Hé, kevertje,' lokte zij, 'kom, je moet dood.' Zoals zij voorovergespannen, gebogen lag en in haar onzichtbare gezicht het wreed duivengekoer liet spelen, wekte zij alle begeerte weer in hem, als een nieuw, onaantastbaar wezen; hij lichtte haar rok op. 'Stil. Ik heb hem.' Zij reikte en stootte met de schoen onder de divan. Bezweet draaide zij zich om, steunend op haar knieën. In het licht toen zij de divan hadden weggeschoven, lag het platgedrukte beest, bewoog zijn pootjes. Tussen de schilden zat schuim en een wit en oker gevlekte massa. 'Hij leeft nog,' hijgde Jia, 'trap er op.'

'Neen.'

'Toe nou! Vlug.'

Hij zette zijn voet op de kever, schoof zijn schoenzool langs de plankenvloer. Het beest bestond niet meer. Zij opende haar mond, likte haar lippen nat. 'Kom.' Hij strekte haar, als een zieke, onttakelde pop die niet beven kon, niet schreeuwen, niet huilen kon op het tapijt neer. 'Aie,' riep zij en de pop brak verder.

Later kwam in haar ogen de sneeuwlucht terug en om haar lippen, gezwollen, kinderlijk en droog, het onwennig lachje van de bevrediging.

Midden in de nacht schudde zij hem wakker. Zouden alle kevers uit de straten komen en hen overvallen om hém te wreken?

'Het kan. Men doet niets ongestraft.'

'Neen? Meen je dat, Edward?'

'Ja.'

'Ik wil niet dood. Hou mij vast.'

23

Zij waren vlugger in Rome terug dan verwacht. Eigenlijk was de reis in verdoving (met opflakkeringen van scherpe, gevaarlijke helderheid) voorbijgegaan.

Op de trein langs de zee hoorden zij, eentonig als het gedender der wielen, hoe de toneelspelers, de dansers, de figuranten hun twisten uitlokten, uitbreidden binnen het ritueel. 'En je buikje, Massimo?' – 'Je haar is te lang, Leffie. Je zou naar Giorgio moeten, hij doet het goedkoper als je zegt dat je van mij gestuurd bent.' – 'Hoe kan je een geel gilet dragen, Minaro, met zulke wenkbrauwen als jij hebt!' Edward dacht aan niets, vlotte poreus, krampachtig, tot hij Jia die tegenover hem sliep, zag glimlachen, bezig met haar geheim leven waar hij minder en minder deel aan had. Hij was niet benieuwd naar de onvermijdelijke afloop van hun samenzijn, hij voorvoelde de breuk die waarschijnlijk plots zou zijn, hoe verwacht ook; maar hij was wel nieuwsgierig (neen, dacht hij, radeloos begerig) naar de vorm, de wending die haar afzondering aangenomen had en die hij niet raden kon in het roerloos, verscherpt gezicht.

Albatrossen of meeuwen hingen in de lucht, het water sloeg tegen de dijken, de toneelspelers sliepen, Leffie met open, ongevormde mond. Toen waren zij er, op het plein in het zonlicht voor het gave, weergalmende station. Jia telefoneerde naar oom Turi die er niet was. Zij aarzelden even, zetten de koffers in de bagagekamer, vluchtten een bioscoop binnen, bijna bang om elkaar aan te kijken, iets te beslissen, het begin aan te raken van de tijd die zich voor hen strekte, te beleven was.

met een opaal tussen de borsten: 'Edward, liefje,' en toen pas had hij geweten: de meesteres is terug, de aandachtige wilde kat met al haar klauwen buiten is teruggekeerd van haar wilde tochten. Zij hadden samen champagne gedronken in de bar van het theater, in de Ticci's club gedanst, daarna bij Alfredo, daarna bij Renzo, en Joen. Toen was hij weggelopen, onmachtig tegenover de fluisteringen, de aangehouden zoenen van de verrukte herontmoeting van Jia en Violet, een hoofs en verborgen spel dat zij (voor hem?) opvoerden en hoogvierden. En in de Via del Babuino had Jia hem ingehaald en lijkwit geroepen dat zij toch beter bij Violet en Genio konden logeren in het American Hotel.

'Waarom?'

'Het is goedkoper en ik kan er mensen zien die mij helpen.'

'En als ik niet mee wil?'

'Het is de enige oplossing, liefje.'

Nu lag hij aangekleed, zweterig op de divan te luisteren naar Genio, die een charmezanger was, zei hij, maar binnenkort drama's zou spelen. Ja, zoals Sinatra.

De meisjes in badmantel verschenen en Edward zocht naar de sporen op het gespannen, onbekend gezicht van het zwarte meisje en vond er geen, de nacht liet geen spoor na, nu niet althans.

'Evviva Edward, de luie koning,' riep Violet en sprong naast hem en zoende hem. 'Kom, wij gaan naar de Via Veneto.'

Waar zij een paar uur later natuurlijk oom Turi vonden, in een te blauw, te zomers pak, een tovenaar die zijn verdwenen toverstok zocht. Onderzoekend bekeek hij het driemanschap met zijn onhelder oog en vond al gauw de waarheid over hen, want Violet zei met een schaamteloze vrolijkheid dat Jia van nu af aan weer bij haar zou wonen.

'Jullie moeten het weten' – Oom Turi schoof traag zijn handschoen uit, staarde er naar als naar een grijze huid die hij zich afpelde, – 'ik kom er voor niets tussen als er herrie komt.'

'Dat gebeurt nooit onder ons,' zei Violet.

'Speriamo.' Oom Turi sipte aan zijn chinotto, keek met afschuw in de beweeglijke Via Veneto.

De herrie kwam. Voornamelijk door Genio, die om de drie, vier dagen geld eiste, elke keer haalde hij met een genadeloze glimlach aan dat zij toch met zijn drieën een veilig onderkomen hadden voor niets. Omdat hij elke keer na de aderlating onmiddellijk vluchtte, vond Violet alleen in Jia en Edward slachtoffers voor haar wrok. En na een paar weken gebood zij Edward weg te gaan – hij was er toch niet nodig –, gooide twee van haar Sinatra-platen stuk en vocht toen met Jia. Die haar steeds gemakkelijk overwon; gewoonlijk eindigde het gevecht in gegiechel, dierlijke gilletjes, strelingen. Edward zag het aan, rookte, gesloten, in een van Violets kamerjassen. Niets bewoog. Het was nemen of laten.

Dagen. Hij liet het hernieuwd verbond zich vormen, dat zich onder zijn herkennen, de ogen, tegen hem keerde. Hij wachtte.

Jia sprak bijna niet meer tegen hem.

Gewoonlijk zat hij tegen de chauffagebuizen met zijn rug en legde réussites. De meisjes vertelden zeer hoorbaar tegen elkaar dat zij hem van uit hun kamer hoorden zeggen in zijn slaap: 'Een rode tien op een zwarte boer' en lachten hun vriendelijke, snijdende lachjes. Hij ging 's namiddags naar de bioscoop en 's avonds naar het theater om Jia af te halen en naar Violet te brengen, thuis.

De dagen sliepen, leek het. De meisjes lagen overdag languit op hun bed te roken, naar de radio te luisteren, of pasten schoenen, jurken, kousen voor de spiegel. Als zij weggingen, ruimde hij de onwezenlijke, geurende flarden op, plooide ze en borg ze in de kasten. Gehurkt tegen de chauffage zei hij: 'Lord Wanorde in de hoek van zijn salon wordt door zijn dienaars verlaten. De ratten verlaten het zinkende schip.'

Het leek alsof de winter niet eindigen zou maar op een avond was de revue toch afgelopen en toen de meisjes een week later met Genio van het zoveelste feest terugkwamen, maakten zij een ongemeen lawaai. De morgen zat al wit tussen de streep gordijnen en Edward, niet wakker, niet dood, hoorde Violet: 'Sei una carruchia, een liefje met een kwaad hart,' en de onwaarschijnlijke stem van Jia: 'Bel even om tomatensap, mijn hoofd draait als een tol.'

'Was het niet van Edward, ik trouwde met jou,' zei Violet. 'Hahaha!' Jia hikte en mummelde: 'Wij kunnen trouwen, terwijl hij, hup, slaapt. Als hij wakker wordt, vindt hij een bruidspaar. Genio zal de burgemeester zijn.'

'Laten wij hem wakker kietelen.' Maar Jia besliste van niet.

Edward voelde hun blikken die hij streng en minachtend raadde op zich gericht, hij stak langzaam zijn tong uit, trachtte ermee zijn neus te bereiken, maar het ging niet, zijn gezicht zou uit de slaapplooi verschoven zijn; hij trok zijn tong terug, hief een wenkbrauw, hoorde de ingehouden stilte der meisjes.

'Hij wordt raar wakker, je vriend,' zei Violet.

'Boeoeoeoe,' deed Edward. Zij trokken het edredon weg en sloegen met kussens.

'Ik neem je vinger hoor, ik neem je vinger.' Violet greep naar zijn onderbuik.

Jia sprong in zijn nek en hield hem onder, tegen haar warme lichaam dat naar amandelolie en naar poeder rook. 'Ik heb hem.' De telefoon viel omver naast Edward die de hoorn met zijn vrije hand – de andere weerde de bedrijvige hand van Violet – naar zijn mond bracht en 'Hulp, hulp!' riep. Daarop kneep Jia zijn hals tussen haar dijen en hij vond geen adem meer. Violet met haar wijduitstaande, bolle blauwe ogen met de lichtblauwe, niet weg te schminken ring eronder, de onderlip die kinderlijk vooruitstak, het grimmig wipneusje, was op vijf centimeter van zijn hoofd, hij zag de adertjes in het oogwit, de korrelige schmink, het zwarte stipje naast haar neus. Hij schopte zo hard hij kon tegen haar been en onmiddellijk krabde zij in zijn wang met de gepunte, lilageverfde nagels. Genio naderde achteloos en duwde Edwards armen naar achter waar Jia ze vasthield. Violets borst zwol, zij schreeuwde verwensingen, een obsceen geklater, en wreef over haar been.

'Kalm, schade,' zei Genio met zijn geaffecteerd accent, 'ik krijg last met de buren.'

'Hij moet er uit, ik haal de politie.' Violet begon hysterisch aan Edwards pyjama te plukken.

'Kalmpjes, lieve.' Genio kauwde op onzichtbare drop.

'Hij is bang dat Ennio te weten komt, dat jullie hier logeren,' zei Edward.

Ennio was een advocaat die de huur betaalde voor Genio.

'Zo is het.' Een verachtelijk maar blij glimlachje verscheen om Genio's mond, hij was tevreden dat Edward hem aanviel, hem aldus het recht gaf van zich af te bijten, en hij bereidde de schade al voor, naderde: 'Je hebt het gezocht, ouwe jongen'.

'Laat hem gerust,' riep Jia.

'De politie, Genio! Ik moet schadevergoeding hebben. Mijn been is gekwetst.'

'Ik had het niet van jou verwacht, ouwe jongen. Echt niet. Je begrijpt dat ik mij niet laat beledigen.'

Violet bedaarde niet. 'En ik laat mij niet verminken! Jia, zeg niet dat je het niet gezien hebt. Je zal getuigen!'

Er was geen ontkomen aan, barricades werden opgericht. Edward wrong zijn handen los, stak ze in zijn broekzakken. Langzaam week de koortsige opflakkering, zijn hoofd was heet, de erectie hield aan. Maar Lord Wanorde beheerste het hijgend en hatelijk gepeupel toen. 'Jullie zullen mij missen, nietwaar?'

'Natuurlijk, ouwe jongen.'

'Eruit!' schreeuwde Violet. En zachter tot Jia, een snauw: 'Ga mee met hem tot aan de lift.'

'Dank je wel, liefje,' zei Jia scherp.

Dit einde was niet het verwachte maar het verwonderde Edward geenszins. Hij had al vrede genomen met het feit Jia niet meer terug te zien, haar op dit dood punt te laten dat al te verklaarbaar gerezen was, toen hij Jia's afwerend scherp wederwoord naar Violet hoorde. Nu moest hij op haar wachten. Indien Violet Jia niet had aangespoord om met hem naar de lift te gaan, was hij zonder omzien de deur uit geweest. In zijn pyjama.

Hij kleedde zich aan, vernederd door het uitstel, terwijl zij zijn beweging volgden.

Op de gang kwam hun de nachtportier tegen die het tomatensap bracht. 'Niet te vroeg,' zei Edward.

'Scusate, signore.' De lange a van de Napolitaan. Het was een aanduiding, maar welke? 'Als de portier eerder was gekomen, hadden zij er mij niet uitgezet, het spel was even opgehouden geweest, Violet had mij niet aangeraakt met de weerzinwekkende bedrijvige hand, ik had niet geschopt.'

Naar de lift, tussen de nerven van het rood marmer, onder het neonlicht, op het zwart linoleum. Het schaaldier dat hij dacht in zichzelf gevormd te hebben was er niet. Hij zei: 'Ik zal je opbellen.'

'Je mag niet kwaad zijn, Edward. Er was niets tussen ons, dat weet je, nietwaar? Wij waren het overeengekomen, nietwaar?'

'Natuurlijk.'

'En ik heb je toch niet aangemoedigd, nietwaar?'

'Neen.'

'Je begrijpt het, dat het niet meer ging, hè? Wij zijn de sterksten niet, wij beslissen niet. Het was geen toestand. Oom Turi wilde het ook niet meer. Alleen Violet kan mij nog helpen.'

Hij wilde weg, wachtte op het moeizaam einde van de schrale woorden die zich volgden, van haar

houding, van haar gefronste, gepenseelde wenkbrauwen.

'Dag, Edward.'

'Dag.'

'Buona notte.'

'Buona notte.'

'Je weet dat ik van geen man kan houden. Ik hield
bijna van je.'

'Het hoefde niet.'

'Neen.'

'Goed, dan ga ik maar.'

'Het is Violet,' zei Jia. 'Vergeef mij.' Zij veegde met
haar gescheurde mouw het bloed van zijn wang.
'Heb je geld? Wacht.' Zij slofte terug. Kwam toen op
haar tenen teruggelopen; haar decolleté liet de kleine, harde borsten los, haar halsband rustte op de
sleutelbeenderen, zij vingerde aan de scheur in haar
mouw. 'Ecco. Adesso lasciami.'

'Si.'

'Ciao.'

'Ciao.'

De stad werd de dagelijkse, langzaam lawaaierige
stolp, de auto's cirkelden gedwee rond de Piazza
Barberini waarvan het hart, de fontein, tussen de
stenen mannen spoot en ruiste. 'Ciao.' Hij zat op

een der relingen. Een taxichauffeur zei dat het een mooie dag zou worden. Zeker. Binnenkort was de lente er al volop. Zeker.

Het was vlug gegaan. Enkele verwaaiende woorden, opgerispte gebaren. 'Ciao.' De stad opende zich. Bij de Villa Borghese, voor het gestrekt, olijfgroen veld waarin de soldaten liepen en de morgenlijke ruiters draafden, telde hij het geld. Genoeg om een maand te leven. Bene. Het einde was nog niet in zicht.

25

Hij woonde terug in het appartement op de Via Appia, er werden geen vragen gesteld naar de afwezigheid van Jia en elke zondag ging hij met de bochel naar het voetbal. Zat urenlang met de ongetrouwde moeder die de hoofdhuurster was van het appartement te dammen en kende gauw de ganse wetgeving betreffende onechte kinderen. Het onecht kind, Vittoria, speelde op het balkon en noemde hem Zoi Edoardo. Soms nam hij een bus naar de buitenwijken van de stad, bezocht een of andere kathedraal met de opgewreven, glinsterende mozaïeken, sprak met de hologige profeten, de onhandelbaren, de onaantastbaren. Gaf hun namen. Hij won tijd, hij wist niet wat het in zijn geval kon betekenen, soms zei hij hardop: 'Tijd winnen.'

Villa d'Este ging hij ook bezoeken. Het was een kunststukje, een gestolde goocheltoer, grillig en steenvast. De tuin was koel door het vele water. Tussen de symmetrisch opgebouwde hagen, bo-

menrijen en fonteinen doken af en toe natuurge-
trouwe beelden van jongelingen op, of van gekleurde vrouwen met herculische vormen, de
rechterborst ontbloot. Soms, tussen de monsters
die uit hun verschillende monden, zinnebeelden
van zovele zonden, water spuwden en tussen de
treurlinden, besprenkeld, bedauwd, zat er iemand
zoals hij, een slapende Engelsman, compleet met
sik en slobkousen en wandelstok met zilveren appel of een jongetje met zwarte krullen dat hardop
en bezwerend de monstermuilen telde en noemde:
'De Hoogmoed, de Gulzigheid, Toto, Sofia Loren.'
De zondagmorgen, onveranderlijk, belandde hij
op de Vlooienmarkt. In de kleurige onduidelijke
menigte voelde hij zich veilig, naamloos, vlottend
hout. In de maand met een r – zoals nu, Marzo –
mocht hij rauwe mosselen eten.

Na de ijle zeesmaak, een kokosnootreep, een wa-
termeloen.

Bij de ingang van de markt stonden de jankende,
snauwende blinden. Een dikke vrouw overschreeuw-
de hen allen: 'Heren en dames, helpt een blinde
moeder'. Naast haar zat haar mannetje, uitgemer-
geld, en schudde zijn hoofd, hield de blinde moeder
bij een van haar enorme, witte armen vast met voor-

zichtige hand, en zei: 'Er zijn ook caramellen, vijf lire stuk. Zelf gemaakt.'

Verder stond er een jongen met verbrande ogen, naast de zwarte bril was de huid rimpelig en wijnrood, hij speelde harmonica en zong. De meeste blinden mummelden zacht, luisterden niet naar het gezang van hun managers. Een eenoog op krukken hief de stomp van zijn afgezette hand: 'Als men míj geen liefdadigheid bewijst, weet ik niet aan wie men het wel moet doen'.

Edward gaf aan allemaal. Hij dacht: Als ik blind word, zal niemand mij geven, ik weet het zeker.

Daarachter zwierven de zenuwachtige vrouwen die aanstekers en steentjes voor aanstekers verkochten. Jong en lelijk, met vormloze lichamen, ongewassen, vrolijke gezichten, knipten zij de metalen kevers aan voor Edwards gezicht. Hun lach was uitnodigend, onbetrouwbaar. En vlak voor de markt begon met zijn honderd verkopers, die allemáál soldaat waren geweest op de verste, de gevaarlijkste frontlijnen, en die allemaal hun medailles lieten zien of op de aangeboden textielwaren hadden gespeld, stond er een blinde moeder die bij speciale genade niet bij de andere blinden bij de uitgang hoefde te staan. Zij had een kind aan haar gezwollen, ovale en gele borst liggen. Het kind zoog niet, het likte aan de tepel. 'Daar is allang niets meer in,' zei een man naast Edward. Het kind was ook minstens acht jaar oud. De vader, schraal en ontdaan, zei: 'Helpt ons. En consulteert het Rad van de Fortuin. Twintig lire.'

Edward liep tussen de geïmproviseerde Arabieren, Joden uit de Middeleeuwen, tussen de jonge gangsters die de toeristen trachtten te bestelen of uitscholden: 'Eh, cafone, eh, finocchio!' Jia was er niet, maar duidelijker, nauwgezetter dan ooit tevoren dacht hij aan haar, wist haar bestaan bereikbaar, vlak voor de hand liggend in een dagelijkse, vertrouwde houding, zoals een der bruine verkoopsters van Amerikaanse sigaretten en aanstekers. Hij dacht terwijl hij met de tram terugreed, in de geur van lysol, goedkope brillantine en dieren: 'Ik heb de figuren van het spel niet geëerbiedigd. Wat werd van mij verwacht? Moest ik de ridder van het verdwaalde meisje geweest zijn die haar weer op het spoor van gewone, aanvaarde liefdes bracht? Haar huiselijke wreedheid, die uit medelijden, angst voor de eenzaamheid, wellust gegroeid was heb ik ondergaan als een roes. Na de roes komt de leegte. Ik zit er middenin.'

Hij trachtte het zichzelf uit te leggen. De tram reed. En in de geur van de armoede bouwde hij de figuren van de roes, van de verraderlijke leegte opnieuw op en verwarde ze bijna stelselmatig. Jia werd de lenige maagd in een zwarte vlottende jurk gewikkeld, die scheuren, haken, driehoeken, zuignappen droeg met kinderlijk afgewend gezicht terwijl zij hem opwekte tot de gevraagde, geëiste, onverbiddelijke verbintenis. En hij vermoedde ineens dat hij in een krampachtige hoop had geleefd tot nog toe, dat zij terugkomen zou. En als hij haar onder de hand had? Hij verlaagde haar tot de rang van verminkte, hulpeloze – zij had armen noch benen en sprak vertrouwelijk, schijnbaar ongedeerd tot hem, en hijzelf was een romp die tot haar rolde. Hij sprong van de tram toen hij trager reed. Bij Canova, tussen de paardenstaartmeisjes, de impresario's, de jonge hanen dronk hij aan de bar. Maar hij zag niemand die haar zou kunnen kennen.

26

Op een avond kwam hij moe en versuft van de bioscoop terug, want hij had de hele dag réussite gelegd zodat zelfs in het filmbeeld de speelkaarten op gelijke en naar beneden toe dunner wordende rijen waren verschenen – zelfs de dubbele paarden-kop die zich aan de achterkant van de kaarten be-vond, was opgedoken – toen hij van in de straat licht in zijn kamer zag en onmiddellijk wist (zeker wist dat het niet de hospita, Vittoria of de bochel kon zijn) dat zij op hem wachtte. Hij aarzelde, wil-de bij de garagedeur al terugkeren maar de con-ciërge dweilde er en ging opzij, dwong hem binnen te komen, met een dubbelzinnig grijnsje.

'Dag Edward,' zei het meisje. Naast het bed ston-den drie nieuwe, geellederen koffers die uitpuilden en hij vermoedde ze haastig gepakt, in een taxi ge-gooid en met hulp van de grijnzende conciërge naar boven gebracht. Wat zat er in, behalve de kle-ren? Zeker nieuwe schoenen, sjaals, armbanden.

Hij vermoedde nog iets vreemds, iets dat haar genegenheid voor Violet meedroeg in het geheim. Een dessous misschien, of een boek met de titel: 'Violetten en Maneschijn,' 'Viola en de Zwarte Piraten'.

'Vraag mij niets, Edward.'

'Neen.' Hij kon niets anders zeggen. Haar benige, smalle hand pulkte aan de bedsprei.

'Je bent mager geworden. Ik dacht dat je al terug naar je land was, ik heb iedereen naar je gevraagd, maar niemand had je gezien, tot ik eergisteren hoorde dat je bij Canova bent geweest.'

'Ik verwachtte je.'

'Goed,' zei zij. Haar haar was anders gekapt, langer, met een krul naar onder, het maakte haar ouder. Haar stem was ook heser. Zij zwaaide met haar benen.

'Eerst wilde het wijf hier mij niet binnenlaten, maar ik heb haar vertederd. Wij hebben samen koffie gedronken in de keuken. Vittoria is gegroeid, vind je niet?' Het meisje stokte, keek om zich heen.

'Natuurlijk kan je hier blijven,' zei Edward. 'Wij zijn toch oude kennissen.'

'Doe niet zo. Ti prego.'

'Hoe wil je dan dat ik doe?'

'Kom hier.' Het bed kraakte, zij nam zijn hoofd vast. 'Magere jongen, stupido.' Zij begroef zijn hoofd in haar nek. Nu moet ik de hete, droge nek zoenen. Likken misschien. Hij wreef zijn lippen tegen haar huid. Kruidnagel. Kruidnagel en dennennaald. Wantrouwen en blijheid. Het egeltje had zijn stekels platgelegd, het haar zat in een golf. Werden er woorden verwacht? Hij fluisterde: 'Blijf' tegen het oor dat doorschijnend, dun en roze was met verrassend scherpe randen, en een doorboord lelletje. Hij raadde haar glimlach in het afgewende, dichtbije, niet te kennen gezicht.

'Je bent de enige man die ik kan verdragen,' zei zij.

'Je bent lief,' zei hij, te hard, te ongewend.

'Kijk.' Zij duwde hem van haar af, sprong op haar knieën, het bed kraakte (de bochel en de hospita moesten het horen, verwachten) en ze hief haar trui. Vlak boven de papierwitte bustehouder, op de zwelling reeds van haar borst toonde zij aan. Edward stond er op, met duidelijke, maar bevende letters in blauwe inkt. 'Lager kon het niet,' lachte zij, en de koketterie was een klap in zijn gezicht, een schram met haar vingernagels. 'Anders werd mijn regipetto bevlekt. Ik heb er de hele middag over gedaan. Ik werd gek toen ik je niet kon vinden in de stad, toen heb ik je maar neergeschreven waar niemand je zien kon. 'Kijk.' Onder haar navel stond 'ard'. 'Ben je trots? Op hoeveel vrouwen staat je naam? Zeg, wat heb je gedaan terwijl ik weg was. Ben je wild geworden?' Hij knikte.

'Met wie? Waar?'

'Met jou.' Zij hapte naar lucht en lachte voluit toe met de blijde tanden en de geplooide, vermoeide ogen van het eerste meisje Jia dat hij gekend had.

Het duurde niet lang voordat Vittoria en haar moeder aanklopten en Jia begroetten alsof zij haar nog niet gezien hadden, alsof het nu pas een echte begroeting was, nu Edward er bij was. Zij aten samen in de keuken, luisterden naar de radio. De hospita beloerde het hernieuwde bruidspaar, haar grijze weduwenblik zocht de uitbundigheid, de verrukte oogopslag, het bedekte liefdeswoord, de schijnbaar onachtzame aanraking. Zij speelden canasta tot laat in de nacht.

Jia, in de kamer, zei dat Violet uit de stad was. Naar het buitengoed van Rossano Marini. Met wie zij binnenkort 'Tu, solamente tu' zou spelen.

'En jij?'

'Och, ik.'

'Hoe lang blijft Violet weg?'

'Ik weet het niet, Edward. Echt niet.' In het licht van de schemerlamp hield zij een broche. Een kreeftje met een overgroot, dieprood hart. 'Die heb ik van Violet gekregen. Wij kunnen hem verkopen, morgen of overmorgen...'

'Ik heb nog wat geld.'

'Neen, morgen verkopen wij hem. Hoe vind je hem?' Zij zoog lucht tussen haar lippen, blies op de robijn als om hem heviger te doen gloeien. 'Ik wilde dat ik zo'n jurk had. Ik zou schitteren als een steen. Niemand, niemand zou aan mij durven komen.'

Zij liet zich achterovervallen en hij zat gehurkt naast het bed.

'Je mag niet boos zijn Edward. Weet je waarom ik teruggekomen ben?'

'Omdat je bij mij wil zijn.'

'Het is waar,' zei zij na een poosje. Het overtrek van het bed waarop zij lag, was zeepblauw, de kleur van de zeep voor kleine kinderen in vormpjes van varkens, duiven of kinderkoppen. Haar arm met de koperen ring, geaderd en dun, vond zijn nek. 'Ik wilde dat ik nooit meer weg moest.'

Zij zaten. In de koude waarin zij afzonderlijk stolden, glimlachten zij. Meer kon niet; zij waren voorgoed gescheiden. Toen hij opstond omdat hij kramp in zijn benen kreeg, was het voorbij – hét, de kortstondigheid zelf waarin zij trachtten te naderen, te onvolkomen, te zeer gebonden aan herinneringen die hun zo snel, zo onvertrouwd heraangenomen verbond vernietigden. Zij sliep gauw. Hij rolde zich op in de zetel. Dacht er aan hoe hij morgen een divan of een matras zou durven vragen aan de hospita, luisterde naar Jia's ademhaling, zag het gordijn tegen een lijn licht bewegen.

Twee dagen later kwam Jia hoogrood van een juwelier terug. De robijn was gewoon geslepen glas. Zij was bijna in bezwijming gevallen in de winkel. De juwelier had de steen uiteindelijk gekocht voor vijfhonderd lire.

'En als het nu toch een echte robijn was geweest?'

Zij had er niet aan gedacht. 'Wat denk je?'

'Dat het een valse was.'

'Violet heeft hem gekregen van een Pers,' zei Jia dromerig. 'Een echte Pers, wij hadden er nog nooit een gezien. Hij was een prins, beweerde hij, maar wij geloofden hem niet tot hij Violet de broche gaf.' Zij lachte scherp. 'O, wacht tot zij hoort dat zij naar bed geweest is voor vijfhonderd lire!' Haar verachtelijke lach maakte haar lelijk, Edward wendde zijn blik af.

Zij brachten de dagen, die ketting, die slaap, door naast elkaar. Jia kocht elke dag een of andere armband, parfum of foulard, bracht voor hem nylonhemden of Turkse sigaretten mee; zij aten twee keer per dag in een restaurant voor het Ras van de Glimlach waar zij roddelden, elke dag kwamen zij dronken en doodmoe thuis. Zij speelden canasta met de hospita, leerden Vittoria de nieuwste, gemeenste uitdrukkingen, knipoogden naar de kolonel die aan de overkant woonde, bedachten heimelijke, gemelijke scheldwoorden voor elkaar, en op een avond zocht Jia naar een briefje van vijfduizend lire dat zij nog in haar tas moest hebben, maar vond het niet; zij beschuldigde de hospita, de bochel en Edward en wist toen plots dat zij vierenhalfduizend verloren had bij een laat uitgevierd scoppa-partijtje met Leffie en Basso. Zij was nukkig en hij, de kartonnen harlekijn waarvan de touwtjes getrokken werden door haar achteloze, wilde, smalle hand, zei: 'Ik kan misschien ergens werk zoeken'.

Zij hief haar wenkbrauwen en proestte het uit. Waar dan? In de Galleria. Hahaha. Waarom niet? Zij werd kwaad. 'Waarom verpest ik mijn leven met zo'n idioot, waarom verpest ik mijn hele carrière voor een gevaarlijke gek?'

Haar open ogen vulden zich met een mateloze razernij en onmacht. Zij huilde.

'Hoe lang leven wij nog? Wat denk je?'

'Niet lang meer misschien. Wij kunnen onder een bus geraken.'

'Wat moet ik doen?' Zij telefoneerde twaalf keer naar Sabina Corra maar die was er niet. Natuurlijk niet. Elke idylle op zijn plaats, op zijn tijd.

Hij waste haar rug, warmde haar voeten, als zij het koud had, in zijn hand. Deed de gouden banden van haar sandalen los, krabde haar in het haar, tegen de koele schedelheid. Antwoordde op de vragen: 'Welk weder is het? Hoe laat is het? Wat doen wij?' Het bevestigde een naast elkaar leven, een ritus van samen eten, aankleden, slapen, zonder speelruimte, zonder overgave, in armoede.

In de Galleria, onder de gekrulde koepels, in de gedrukte zoemende lucht, tussen de sissende, steeds lachende figuranten waartussen men de zelfzekere houding, de buik en de nederbuigende goedhuid van de impresario's moest herkennen, omringd door trossen komieken, jongleurs, charmezangers, acrobaten, kunstfluiters, lachende politieagenten, saxofonisten, zocht Jia, en vond niemand die haar werk kon bezorgen. Er schoof niet één plaatsje vrij in de omloop door Italië van de rivista-gezelschappen, die rattenkoning bestaande uit tot op de draad versleten achtste-rangselementen, die aan elkaar klitten uit zelfverweer, noodzakelijke solidariteit. Roodharige, diklippige veertigjarigen, van wie de belladonna uit de ogen droop en van wie de schonken zich verplaatsten onder het gretig aanvaard gefluit der straatjongens, vervulden de rollen van eerste, tweede, derde soubrette. Het ging niet. Jia werd aangeklampt door de geoliede makelaars, kwam heel laat thuis, viel als een stenen beeld tegen de kussens van het bed. Soms bleef zij door de kamer lopen, een vos in zijn kooi. Stond aan het raam. Of zat naakt bovenop het hoofdkussen, gehurkt met de knieën hoogopgetrokken en gespreid, lichtgoud met koperglanzen in de schaduw en speelde met haar kettingen en armbanden, stil, gespreid met de plooien open, als een oud, langbewaard, dood prinsesje.

Soms sprak zij hardop in haar slaap, kreunde: 'Ik ben te smal. Het doet pijn.'

En haar geur van versgemaaid gras hing in de kamer; hij verroerde niet.

27

Toen zij geen geld meer hadden, vroeg de hospita hun elke dag de huur te regelen en de gasrekening. Zij zong harder in de badkamer, schold luider op Vittoria elke dag, als om hen er aan te herinneren dat zij in haar huis woonden, haar duurbetaalde intimiteit verstoorden. Wanneer de bochel Jia in de gang tegenkwam, op weg naar of komende van zijn kamertje dat naar dode dieren rook, hief hij beschermend de hand (alsof hij blind was erbij) en raakte haar rug of lager en prevelde: 'Scusate.'

'Ik zou alles van hem kunnen krijgen,' lachte Jia, 'misschien wel twintigduizend lire. Maar ik doe het niet. Om jou.'

'Doe wat je niet laten kunt.'

'Stupido.' Zij kuste Edward op de wang, wreef de lippenstift weg. De kruidenier en de tabacchihouder bij wie zij hoge schulden hadden, vroegen daarna om inlichtingen bij de conciërge. Deze vertelde het aan de hospita (die haar reputatie zuiverder moest houden dan de andere huurders wegens het onecht kind) en de toestand werd onhoudbaar. Edward vroeg de bochel om een lening.

'Misschien kan ik op de bank iets voor u vinden als chauffeur of zo, of in de verpakkingsdienst van mijn neef. Hij heeft een textielfabriek,' zei de bochel.

'Uitstekend. Maar ik heb het geld direct nodig.'

'Waarom wilt u niet werken, signor? Er is niets beschamends aan.'

'Natuurlijk niet. Ik zou zelfs graag willen werken, maar ik vind niets dat mij past.'

'Wie denkt u wel dat u bent!' riep de bochel driftig en sloeg de keukendeur, toen de voordeur geweldig dicht.

Op het balkon aan de overkant besproeide de gepensioneerde kolonel zijn bloemen. Het moest rond halftwaalf zijn, daarna zou hij zijn krant lezen, iets later zou zijn huishoudster hem zijn aperitief brengen. Jia en Edward brachten alle lege flessen die zij in de kelder en de keuken konden vinden, naar een kruidenier die hen niet kende en met het geld ervan reden zij in een taxi naar een restaurant aan de Via Flaminia, waar figuranten, leeglopers, journalisten op krediet konden eten. Toen zij er uit kwamen, opgewonden en heet van de wijn en de grappa, stopte plots een lage Mercedes langs het voetpad. 'Colomba mia,' schreeuwde de kale, de magere Chinetti, een impresario.

'Ik loop door,' zei Edward.

'Neen,' zei Jia.

'Ah, colombina.' Chinetti zoende Jia heel wild. 'Hoe gaat het met je broer?'

'Je kent Chinetti toch wel, hè?'

'Ja, zustertje,' zei Edward.

'Hahahaha. Kinderen,' Chinetti kneep Jia in de wang, 'ik heb iets buitengewoons voor jullie. In de Alhambra binnen veertien dagen. Jia l'Atomica. De nieuwe soubrette van Fosco's revue. Wat zeg je daarvan, duifje?'

'Bij Fosco? Ik denk er niet aan.'

De soubrette had een kind gekregen. Waarom kon Jia niet invallen? Minstens zes- à zevenduizend per dag.

'Natuurlijk doet Jia het!' riep Edward.

'Hou je erbuiten,' zei Jia vinnig.

'Goed.'

'Maar straks kent niemand je naam meer, colombina. Hoe wil je in godsnaam dan weer in de circulatie geraken! Je loopt wel de Galleria af, iedereen heeft je daar gezien.'

'Dit soort avanspettacolo heb ik niet nodig.'

'Je gaat er aan, liefje,' zei Chinetti en bedoelde Edward.

'Ik heb iemand die voor mij zorgt.' Jia gaf Edward een tikje met haar vingernagel tegen de wang. Het was vernederend, zacht, niet onaangenaam. Het schiep een afstand tussen hen die minder wijd was dan die van hen samen en Chinetti.

'Telefoneer mij, liefje. Tussen hier en een dag of vijf.'

Thuis was er herrie vanwege de flessen. De bochel had, van de hospita's woede profiterend, gevraagd hun kamer te mogen betrekken en de hospita had er in toegestemd. Zij waren invaliden, onvolkomen wezens in haar ogen, in de ogen van de fluisterende straat, van de wereld. Hun verhouding was erger dan die van de bochel met een publieke vrouw.

In de kamer, stil en koel als een aquarium, zei Edward: 'Onze haven wordt bedreigd'.

'Bah, deze rotzooi.' Jia, ziek, geïrriteerd, draaide behoedzaam een dunne, volle sigaret. 'Die bochel krijgt onze kamer niet.' Zij gaf hem de sigaret over, hij zoog de hete, bittere lucht op. Zij zochten samen de gemeenste leugens over de bochel op en lachten.

Het verenigde hen. Alsof zij niet beter hoefden te weten, alsof zij samen waren in een wereld vol ongelijkheden die hen aanrandde.

'Waarom wil je niet optreden in de Alhambra?'

'Het is de slechtste avanspettacolo van de stad. Daarna krijg ik nooit een filmrol meer.'

'Er zit niets anders op.'

'Het is jouw schuld,' zei de scherpe stem in de schaduw. Hij trachtte de wending van het enige gebaar te vinden dat in hun samenzijn ontstaan was, zijn hand volgde het kaakbeen, haar droog, vertrouwd vel dat spande.

'Ik kan niet dansen.'

'Toch wel.'

Chinetti gaf hun tienduizend lire voorschot en leende hun een grammofoon. Edward leerde Jia dansen. Zij werd een strenge priesteres met een onbeweeglijk hoofd en een lichaam dat onafwendbare ritmes droeg. Haar harde, okeren buik plooide, haar pelvis ging in trage halen op en neer, tolde dan in woede rond een onzichtbare as. 'Traag weer, nu, laat ze op adem komen, de loerende, aandachtige boeren.'

Hij hernam passages op de grammofoon en deed haar de bewegingen voor.

Zij streelde haar ribben met voorzichtige handen, staarde de ledige wereld in, als zocht zij iets of iemand die haar schaamteloos uitgestalde honger (geen natuurlijke, kenbare honger) met één blik zou bevredigen. Zij zagen af van netkousen, veren, behielden alleen een zwartkanten bh en een lang, dreigend lint tussen de dijen dat een adder werd die opsprong. Na twee weken repeteren (waaraan Jia zich overgaf met een luie lankmoedigheid zonder vooruitzicht of hoop), was zij vergroeid met de gang van haar drie dansnummers: 'Il Bolero', 'Mezzanotte' en 'Fuoco Nero'. In zijn slaap schudde haar verminkte verwrongen lichaam en wierp haar navel zijn parels uit, omklemden haar dijen zijn hoofd. Maar 's morgens in het koppig, donker gezicht dat in het bed lag, hervond hij nooit het gevaarlijk speelgoed van de nacht en van de dans. Nooit was zij hem zo vreemd, nu hij deze projectie van zijn gespannen verbeelding tussen hen beiden had opgeworpen. Jia's lichaam in de dans die zijn verbeelding met een harde preciesheid had getekend en uitgevoerd, werd op een bittere, geladen manier, lachwekkend. Zij merkte het, maar onduidelijk. Zij leefden zonder spreken.

De bochel en de buren beklaagden zich bij de hospita en zij speelden de grammofoon heel zacht.

'Je houdt niet van mij, Edward, anders zou je mij zoiets niet laten doen.'

'Het kan niet anders.'

'Iemand die van mij houdt, wil mij niet weggeven.' Een tedere zin als kinderrijm, een spreekwoord dat geen oplossingen, geen vragen verdroeg.

'Ah.'

Zij hernam en kwam op langs het bed, verscheen tussen plots opgerezen gordijnen, gekleed in de zilveren mantel met de zwarte lelies die voor een kardinaal gediend had in de revue van Sabina Corra en die Leffie voor haar gestolen had. Zij wandelde en het zilver glom. 'Nu.' Haar okeren dij gleed, verontrustend naakt, tussen een split in de mantel en verdween. Jia's gezicht had iets hautains en innemends tegelijk, een kind dat zich huwbaar, aantastbaar weet en het ritueel van de belager verwacht. Haar borst, licht en vol, rees, de mantel viel. 'Ja.' Op de klarinetsolo hernam de dans en zij werd spin, vlinder, valk in de vlucht, en een sidderend kind opnieuw. De pelvis schokte in een vereenzaamde ring. Het was niet geschikt voor een avanspettacolo, de effecten waren te mysterieus, te innig maar

Edward verbood Jia elke glimlach, elke overdadige golving. Zij raadde dat zijn aandringen op dit punt een voorwendsel was en liet het toe.

Zij stopte. 'Wat nu?'

'Denk dat een zee-egel je dáár prikt.'

'Aie!' riep zij en tussen haar gespreide dijen sprong de adder op en liet de glimmende zijden driehoek zien die zij haar cuorino noemde, het laag en duister hart dat open was.

'Che ch'é?' vroeg zij.

'Niente.'

'Che hai?'

'Niente. Lasciami.'

Zij kleedde zich aan. Hoe ging het? Deed zij het goed? Zouden zij reageren, de cafoni?

'Misschien.'

'De cafoni zullen de prik van de egel in hun eigen buik voelen. Haha. Dat zal hun leren. – Zeg, wij zouden de bochel deze dans moeten laten zien.'

'Neen,' riep Edward wild.

Jia lachte. De dans, de uitnodiging van het kind (of van het konijn dat de valk tartte) had hij uitgewerkt, gepolijst en van het spel (dat hem opnam als medespeler) wilde hij de beheerser zijn. Voor het eerst. Alsof de harlekijn zelf zijn touwen zou bewegen. Hij werd jaloers van een danseres, had zich al gesterkt tegen een massa geoliede, hijgende vreemdelingen die het Alhambra zouden overschreeuwen en fluiten bij haar eerste entree, toen Jia op een morgen door de telefoon zei: 'Neen, Chinetti, het gaat niet, ik ben nog lang niet klaar voor die dansen; neen, het gaat nog niet.'

Edward zei, blij voor de verdaging: 'Wat is er dan? Gaat er iets niet?'

'Ciao Chinetti.' Zij legde de telefoon op de haak.

'Wil je dan niet meer optreden?'

'Ik kan niet.'

'Je hoeft niet bang te zijn.'

'Ik ben niet bang. Maar het maakt mijn kansen voor de film stuk.'

'Dat wisten wij toch al eerder.'

'Maar het is veranderd, nu. Ik heb een nieuwe film in het vooruitzicht.'

'Met wie? Hoe dan?' Hij wist het.

Jia likte over de binnenkant van haar pols. Hij greep haar arm, bijna verrast door zijn eigen geweld en draaide de pols naar zich toe. Onder de weggeschoven, amberen armband waren twee onronde, matrode wondjes te zien, als de oerdomme blik van een kleine inktvis. De wondjes waren niet oud, er was een licht vel over gespannen, een zijde-papiertje.

'Wanneer heb je haar teruggezien?'

'Verleden week,' zei Jia.

Hij had het moeten weten, voelen aankomen. Hij staarde naar de kolonel buiten die op zijn balkon de krant las. Waar had Violets sigaret het meisje nog gebrand? Op de borst misschien, op een dij? Violet, op afstand (in welk heimelijk hok, in welke gewaden van wrok en wellust?) wilde natuurlijk laten zien hoe onverwachts, hoe krachtig haar meesterschap kon opduiken en Jia volgde haar gedwee. Of had Jia haar opgezocht, haar gesmeekt? Zij had in ieder geval opzettelijk haar pols aan haar lippen gebracht. Hij werd bang. Sedert de laatste weken, sedert de dans, neen, sedert de terugkomst in de roze stad Rome eigenlijk, waar de geur van olie en Frascati-wijn hem in de luren had gelegd als een uitwaseming van Jia's vel, van Jia's haar, had hij de verdediging opgegeven, en was hij haar ontwend geraakt; hij had op onverschilligheid en gelatenheid in hemzelf gerekend en hij bevond zich eensklaps voor een pijnlijke onmacht, radeloosheid die op passie geleek.

'Verleden week,' zei Jia. 'Het spijt mij niet, Edward, helemaal niet.' Zij had een andere stem alsof het oproepen van Violet tussen hen voldoende was om haar opnieuw te verwezenlijken, de slaafse, wilde Jia van het American Hotel, die hij niet meer erkend had.

'Op de tweede dag van hun huwelijk,' zei hij en trachtte niet te haperen, niet te beven, 'slaan de mannen van een wilde stam die ik ken, met één vlugge zwaai van hun hakbijl de benen van hun vrouw af, net onder de knie.'

De punt van haar tong stak uit, wikkelde tussen haar tanden.

'Zo blijven zij thuis en kunnen net vlug genoeg lopen om het eten te bereiden, de boel op te ruimen en zo.'

'Hoe heet die volksstam?'

'De Skiba's,' zei hij, 'ontdekt door een Franse ko-lonel.'

Hij bleef naar het balkon aan de overkant staren, zag haar weerspiegeling in de ruit glimlachen om zijn ergernis, zijn verraderlijke treurnis. Naast het balkon waren er lagere daken, de kolonel had een rode schedel met bruine vlekken. Boven de huizen stond de lucht gespannen en blauw als de hemel in de Rome-scène van de revue van Sabina Corra.

'Ik wilde dat er eens een dikke mist over Rome kwam,' zei hij. 'Of dat het sneeuwde.'

'Ik ook.'

'Herinner je je Turijn? Hoe stil de stad was?'

'De sneeuw blijft hier nooit liggen.'

In de Franse kardinaalsmantel met de lelies hield zij haar schouders naar voren, als geklemd in een onzichtbaar harnas. 'Violet zit in haar nek, drukt in haar rug.'

Zij kwam dichter en hij werd waakzaam. Haar hand wandelde over zijn rugwervels. Zij beet zachtjes in zijn nek en duwde in zijn lenden. 'Beweeg niet,' fluisterde zij. Uit alle macht stampte hij met de hak van zijn schoen op haar voet, zij vloog op en onmiddellijk voor zij het uitschreeuwen kon, duwde hij met twee ingeklemde duimen in haar hals, maar zij gleed weg, geolied kind in haar kardinaalsmantel, sloeg heel hard de deur dicht, sloot zich op in de badkamer waar zij enkele ogenblikken riep als een opgeschrikte kaketoe.

28

De verzoening groeide niet. Zij zochten elkaar in uithalen, losgeslagen zinnen die elkaar wilden aanvullen. In het restaurant van de figuranten aten zij op rekening van Violet.

'Ik ben een duivenhok,' zei Edward, 'je loopt over en weer in mij. Ik ben tegen niet veel bestand.'

'Je hebt mij in je macht, Edward. Misschien meer dan Violet. Doe niet alsof je het niet weet. Lach niet.'

In het bijna lege restaurant, tussen de tafels vol etensresten en flessen, tussen verspreide stoelen, alsof hij heel alleen was op een onmetelijke stenen weide, danste een kleine jongen. Hij tolde rond met open armen, wankelde, stootte tegen de tafels aan. Toen hij moegetold was ging hij zitten, dronk aan een der overschotjes in de glazen, hernam zijn zwaaiende dans. Dit keer spreidde hij zijn schort voor zijn ogen, hij moest denken dat het de wervelwind van de losgelaten, cirkelende tafels en stoelen en wanden was die hem duizelingen bezorgde. 'Hij zal vallen,' fluisterde Jia.

De kleine jongen draaide hoger, stond en tolde toen op zijn tenen, sloeg tegen de vloer. De kelner schoot toe en hielp hem recht. Het jongetje blikte verdwaasd de ruimte in, een neergestorte vleermuis.

'Eindelijk,' zei de stem van oom Turi. 'Jia, ik moet je dringend spreken.'

'Wij eten voor het laatst samen. Ons afscheidsdiner. Wat je ook zegt verandert niets meer. Ga je gang maar,' zei Edward tot de oude pop.

'Jia, ik insisteer. Ik wil je spreken. Apart.'

'Ik wil niet dat hij weggaat, oom Turi.'

'Ik ben je voogd.'

'En de rest,' zei Edward.

'Insolent.' Oom Turi behoorde tot de generatie die d'Annunzio in Fiume had toegejuicht, zijn Frans had een rijpe, gezette klank. Zijn volmaakt gepoederd, gepunt gezicht had in betere tijden een duel voorspeld; hij kuchte, zette een vervaarlijk violet oog op.

'Weet gij, signor, wat gij uitvoert? Ik betwijfel het. Wat wilt gij eigenlijk van Jia?'

'Oom Turi...'

'Jia, zwijg. De man is groot genoeg om zelf te antwoorden. Signor, dit onverantwoordelijk, dit zinneloos leven moet uit zijn. Weet gij dat ik er de politie kan bijhalen? U is een gast in ons land, signor, wij tolereren u, maar tot op een zekere hoogte.' Hij wendde zich abrupt af. 'Hoeveel uur slaap jij per dag, Jia?'

'Tien.'

'Ik geloof er geen barst van. Je ziet er erbarmelijk uit.'

Onmiddellijk veegde Jia haar haar weg, bevoelde haar wangen.

'Luister goed, ik had gisteren Palla aan de telefoon. Hij komt publiciteit te kort de laatste tijd. Nu, hij wil zich verloven.'

'Opnieuw?' deed Edward in oom Turi's verbaasd falsetto.

'Hij is nog nooit officieel verloofd geweest, signor. En, Jia, ik heb Palla in mijn hand. Hij danst in mijn hand, hij kan er niet van onderuit. Anders mag hij elke kans op de nieuwe Lattuada-film wel uit zijn hoofd zetten. Nu, ik ben ernstig, kijk mij aan.'

'En lach niet,' zei Edward. Het klonk kinderachtig, ellendig, het haalde geen hoogte.

'Ik ben een romantieker. Ik geloof aan de jeugd, Jia, je weet het, je kent mij. Voor de laatste keer en God weet dat ik al wat geleden heb onder je onverantwoordelijkheid, wil ik het met je wagen. Daarna uit. Onherroepelijk uit. Je neemt je intrek in mijn appartement in Excelsior. Onder mijn toezicht. Je gaat naar de dokter, je laat je longen onderzoeken...'

Edwards hoofd gonsde, de weeïge klem rond zijn maag opende zich niet. De wereldwijze, norse, bevallige stem van oom Turi bracht onherroepelijke schade in het buigzaam en vast lichaam naast hem, in de geheime, aangevreten organen.

'Nu, drie weken, en langer is Palla niet in te tomen, na drie weken halen wij er de pers bij. Cocktail in Excelsior. Kleurenfoto's in *Epoca*. De hele zwik. Ik laat je niet meer los. Het is het laatste wat ik nog voor je doe. Je vader heb ik beloofd, gezworen voor je te zorgen, maar als je zelf niet meewil, kan ik er niets aan verhelpen. Het is de laatste plank, meisje.'

Hij had het al dikwijls gepreekt, al hogergestemde vervloekingen uitgebracht, het was te horen, maar onderhuids bekroop zijn dreiging Jia's gelaten gezicht.

Oom Turi hief een priesterlijke vinger. Edward knikte. Jia hield het voor een overtollige instemming en zei: 'Ik zie je vanavond, oom Turi. Om acht uur.'

'Ik groet u niet, signor,' zei oom Turi en kuste Jia's handpalm.

Het gevallen jongetje kwam bij hun tafel staan, met tranen in de ogen, verwijtend, hij wist dat zij de vloer door hun hardnekkig zwijgen hadden doen draaien tot hij omgekanteld was.

'Ciao.'

'Ciao, signora,' zei het jongetje. ('Als ik dit land verlaat, hoor ik het innige, hoge tschaw niet meer, de gerekte klank, die uitnodiging, openhartigheid, afscheid, blijheid inhoudt'.)

'Ik speelde molentje,' zei de kleine jongen.

'Maar het molentje viel!'

'Ik houd er van, signora.'

'Van te vallen?'

Het jongetje knikte verontschuldigend.

'Ik niet,' zei Jia, zij wendde zich tot Edward: 'Ik ga gauw dood.'

'Je bent dom.'

'Oom Turi heeft gelijk. Er rest mij weinig. Als ik alles wil hebben waar ik zin in heb (wat ik geweldig begeer, wat ik met krampvingers wil grijpen, dacht hij), moet ik vlug zijn en handig. Ik moet er mij op toeleggen. Nu kan het nog. Straks niet meer. De honderden dingen...'

'Welke dingen dan?'

'Die je wilt.'

'Je zou het niet begrijpen. Een echte robijn bijvoorbeeld.'

'Dan moet je naar Perzië.'

'Waarom niet?' Zij speelde met haar vork, tekende er haar naam mee in het servet. 'Jij had mij kunnen tegenhouden, vroeger. Maar je kwam niet uit je bolster, je kon het geweld niet opbrengen dat mij losmaakte van de wereld van robijnen, nertsmantels, provino's. En daarbij, Violet was er. Zij wint het toch altijd. Als oom Turi mij een vroege dood voorspelt, heeft hij gelijk. Hij weet wat er van is. Hij kent mijn dokter al jaren.'

'Ah.'

'En jij, je bent onbeweeglijk.' Zij vluchtte nu voorgoed voor wat zij zijn onbeweeglijkheid noemde. 'Je zou van mij kunnen houden, toch, nietwaar?'

'Je laat het mij niet toe.'

'Zie je,' zei zij moedeloos. 'Inoxydable' stond er op de vork die harder, scherper in het servet grifte.

Een Franse of een Belgische vork. Hij gaf het jongetje dat aandachtig luisterde, een appel.

'Ik wil niet,' zei hij in het wilde weg.

'Jawel,' zei zij, stond op, draaide haar schouders
in haar mantel; haar rug, recht en smal, torste het
zwarte haar als een nest. Zij draaide zich niet meer
om. Het jongetje legde het klokkenhuis van de appel op zijn bord. 'Grazie, signor, era buono.'

'Queste mele sono una canonata,' zei de kelner.

Hij verwachtte haar terug, eiste haar nerveuze
gestalte, het witte gezicht terug. Hij betaalde, ging
naar een goedkope cinema-avanspettacolo die
drieënhalf uur duurde. Zat veilig in het donker,
schouder aan schouder met de opeengepropte
massa. De lichtgevende tovenaarsvrouw dook ongedeerd uit de benagelde kist, de dikke girls hup-
pelden, hij werd ijs en dooide. 'Lord Wanorde
dooit,' zei hij, 'de ijskegels van zijn neus worden wa-
terstralen, de hele cinema verzuipt.'

's Nachts vond hij hun blauwe kamer terug; zoals
verwacht en niet geloofd tijdens de aarzelende, vertraagde wandeling naar huis lag zij helemaal over-
hoop, bezaaid met linten, kranten, proppen watten, halflege flesjes en tubes schmink, ontdaan van
de slingerende bustehouders, kousen en slips, de

kimono, de achttien paar schoenen. Boven het bed had Jia haar foto op de muur geprikt, in de hoek langs het onwezenlijk, belachelijk decolleté dat haar onbekende, schuimrubberen borsten gaf stond: 'Perdonami'. Hij scheurde de foto. Plakte haar toen terug samen op een wit karton. Hield twee dagen de ramen dicht om haar parfum Mitsouko te behouden.

Hij verwachtte de wrevel of de spot van de hospita, maar zij praatte niet tegen hem. Zij had waarschijnlijk last met Vittoria of met de conciërge tegen wie ze altijd gemelijk beleefd was. Hij zei haar dat zij er bezorgd uitzag, treurig, was er iets, kon hij iets voor haar doen? Zij ontweek. Het was binnenkort Vittoria's verjaardag. Welk cadeau zou zij haar dochtertje doen? Een pop, een kleed?

'Een kleed zeker.'

Zij lachte grimmig. 'Ik heb er geen geld voor.'

Tien dagen later belden 's nachts twee politieagenten en verwittigden de bochel dat de hospita zich gezelfmoord had tijdens een voorstelling van 'La Tosca' in de Terme di Caracalla. Zij had pillen ingenomen, en men had haar pas na afloop van de voorstelling gevonden. Op haar borst was een papiertje gespeld: 'Zeg niets aan mijn dochtertje.' In haar tas vond men eenzelfde papier, geruit en vierkant, uit de blocnote waarop zij Edwards rekeningen had gemaakt, met een haastig en vol fouten geschreven uitleg. Zij had voor Vittoria een kleed willen kopen voor haar verjaardag, maar had geen geld gehad; zij had zelfs gedacht een kleed uit gefronst dik papier te knippen, misschien had Vittoria het niet gemerkt voor die éne dag, want zij was pas zes, maar toen had zij geen moed meer gehad en zij beval haar ziel en lichaam aan de Heilige Maagd en aan de Heilige Rita, beschermheilige van haar dochtertje.

De conciërge zei dat wanneer een nieuwe hoofdhuurder kwam, het appartement waarschijnlijk ontruimd zou moeten worden, dat in elk geval de huurprijs zou verhogen, en wie had dit vreselijk einde ooit verwacht?

'Niemand,' zei Edward.

Het huis werd onbewoonbaar, de bochel zette de radio heel hard aan de hele dag en liet nu ongestoord de deur van zijn kamer open, die naar dode dieren rook.

Toen 'La Tosca' iets later op de affiche kwam, ging Edward naar de openluchtvoorstelling. Tosca was een negentienhonderd-diva op hoge hielen en met een wijduitgespreide, bloedrode sleep waarin zij verstrikt zat als zij zich in hartstocht plots omdraaien moest. In het derde bedrijf, toen het politiehoofd haar begon te verleiden, zat zij overdadig rond gewrongen in haar korset aan de tafel, bewoog angstig haar bovenlijf, dat wentelde rond haar taille. En later in een roze jurk op de rode sofa wuifde zij met een biljartgroene waaier een opgehitste junglevogel.

'E muoio disperato,' zong Tagliavini. En bisseerde, maar slikte toen de uitgangen wat in, kortte de uithalen. Tussen de twee brokkelige zuilen van de Terme, overgelaten totempalen uit een voorwereldlijk reuzenrijk, was de stervende tenor een even bewegende schim op een helle ansichtkaart; op de verafgelegen bank zat de hospita en hikte, hapte naar lucht en voelde haar maag, haar hart, haar hersenen barsten.

Ik word gedwongen, dacht Edward, ik ga terug naar het noorden.

29

Hij ging dikwijls naar de volkskeuken waar drie luie en zenuwachtige vrouwen bedienden die alles verkeerd brachten en steeds opnieuw de rekening fout hadden opgemaakt, steeds in hun voordeel. Giovanni, de enige kelner, was ook oneerlijk, maar vlug en slim.

Het had geregend, de modder in de straten verdunde tot okerwater in de riolen. Zijn schoenen liepen in. O, wat stonk die volkskeuken. Er liepen veertien katten rond. De glazen werden er ook slecht afgewassen, er kleefden olievlekken aan. Eindelijk kwam Giovanni om de rekening op te maken. Hoeveel brood? Geen.

'Zie je dat. Nooit nemen zij brood. Geen een neemt hier ooit één stukje brood maar 's avonds zijn alle manden leeg en wie moet al dat brood betalen? La vecchia carogna d'un Giovanni! En dat de vreemdelingen ('forestieri' zei hij, wat houthakkende, baksteenrode Vikingers veronderstelde) geen brood eten bij hun eetmaal, dat zijn leugens, flauwe leugens, zij eten meer brood dan de Italianen zelf!' Hij rekende uit. Tweehonderd lire. Plus twintig lire fooi.

Hij knikte moe, versleten. Het vervelendste van zijn werk was dat zijn vrouw er zat. 'Andere mensen, bedienden, arbeiders, gaan naar hun kantoor of hun fabriek, werken er acht uur en zijn vrij daarna; als zij thuis komen zit hun vrouwtje op hen te wachten. Zij eten samen gezellig, praten wat e poi, vanno al cinema. Maar bij mij, 's avonds en 's middags gedurende jaren, zit zij daar op mijn vingers te kijken en roept: Giovanni, Giovanni, zodra zij meent dat ik iets verkeerds doe of als ik een grapje maak met een klant. O, ik vermoord haar.'

Het was een zwartharige kleine vrouw, twintig jaar jonger dan hij. Als zij binnenkwam, drukte zij iedereen aan de tafel de hand.

'Wil je een glas wijn?'

'Geen wijn voor mij,' zei Giovanni, 'ik heb een maagzweer.'

Een Turk vroeg hoe de lever was vanavond. Giovanni dacht na, schudde zijn gele, benige kopje, zijn mond hing ver open, nadenkend schoof zijn hand die een gore handdoek vasthield, langs zijn schedel. Toen klaarde hij op: 'Il fegato. Ma delizioso, signor. Delizioso!' Hij zoog aan vier samengeperste vingers en gooide zijn hand naar de Turk open.

'Ah, die Giovanni,' zuchtte de Turk.

'Hij is een wonder, mijnheer,' zei Edward.

'Mijnheer Halim.'

'U kan hem het hele menu vragen, mijnheer Halim, in de vreemdste orde en hij brengt het u precies terug zoals u gevraagd heeft. Hij is een wonderkind, want pas veertig. En eerlijk als goud.'

'Ja, niet zoals die vrouwen. Daarom zit ik altijd in deze hoek. Nooit bij die vrouwen. Maar zoals ik redeneert iedereen. Daarom is hier nooit een plaatsje vrij. Iederéén wil hier zitten.' De wonderlijk lichte, onvaste stem van de Turk contrasteerde met zijn ineengedrukt, ernstig gezicht, met de slaperige, schuine ogen.

'Mag ik u een glas aanbieden, signor Halim?'

'Ik dank u. Ik drink nooit. Het is niet goed dat een Turk drinkt. Mijn broer, die drinkt. Een bijzonder vriendelijke jongen, mijn broer. Misschien kent u hem? Hij komt hier ook soms eten. Wel, hij drinkt veel, dan wordt hij opgewonden, slaat ruiten stuk en raakt de gevangenis in. Het is beter dat wij, Turken, niet drinken, wij zijn te gauw opgewonden.'

'Is het meisje er niet?' vroeg Giovanni.

'Neen, zij is ziek,' zei Edward.

'Ik ken een goede dokter. Een tandarts. Maar hij is ook dokter.'

Giovanni leunde op de tafel, zijn nek was ongewassen. 'Mijn vrouw kan je het adres geven.'

'Zij heeft het aan haar longen.'

'Dat kan heel gevaarlijk worden. Mijn vrouw heeft het ook.'

Een oude man bij de deur zong, hoog en scherp, in de rumoerige, klikkende, rinkelende zaal vol eters. De serveuse Simonetta werd hitsig, onder de lagen kalkpoeder trilde het vochtig, gerimpeld vel van haar kopje. Oeroud, ritselde zij tussen de tafels.

Zeven uur. Hij was al naar de bioscoop geweest. Wat nu? Hij kon nog een tweede vertoning hebben. En dan?

In de riolen stond geel, vlokkig schuim. Ergens ter wereld leefde het moede, amberen meisje met de lichtvoetige woorden die dolken werden en staken. In de verlichte avond de vertrouwde etalages. In een groene auto zat een elegante vrouw die zich onzichtbaar waande, en had een vinger in haar neus, waarbij de helft van haar gezicht in een woedende grijns vertrok. Hij keek door het autoraampje. Zij schrok, haalde haar vinger weg. Zij was warmbloedig, vijfendertig hoogstens. Zij glimlachte toen onbeschaamd.

In een boekhandel stonden platen van de verschillende mensenrassen. Giechelende eskimo's. De avond werd warmer, of was het de wijn die hem deed gloeien? Mensen stapten voorbij, wezens die men eenmaal zag en dan nooit meer. Opgehoopte huizen, huizenreeksen, verlichte stapelplaatsen, zwellende bouwsels.

Op de Piazza del Popolo verkocht een oud wijfje mimosa's en knikte met haar dooraderd hoofd en fluisterde, teder als tegen een kind of een lievelingsdier: 'Sono belle, belle' tegen haar vijf, zes takjes. Het bevend vel van de Tiber dat overdag geel en rond zes uur grasgroen was, nu van lood met glanzen, ronde kolken in het water. De onbeweeglijke lage boten. Hij ging op een der stenen trappen zitten, zijn broek werd nat. Plots op twee meter afstand, giechelde iemand, een oude vrouw in flarden van bontmantels en verkleurde lappen kroop recht. Haar benen waren helrood, bedekt met korsten en stof. Zij kroop, gekwetste haai, in vodden gewikkeld tegen het verderf. En knipoogde. Ver weg claxoneerden auto's. In het water vlotten dozen, planken. 's Zomers, in de zon, zaten er hele scholen grijze visjes. Soms roze.

'Het is nog hun tijd niet,' zei de gehavende grootmoeder.

'Van wie?'

'Van de ratten.' Hij stond recht. 'Hou je dan niet van ratten?' lachte zij met opgewekte open mond waarin brood zat. 'Zij doen niemand kwaad. Er zijn er heel lieve bij.'

Hij liep naar de brug, vervolgd door haar lach, een paddenroep. Vroeger had hij eens met een vriend op een hoeve gelogeerd. 's Avonds gingen zij wandelen in de niet afkoelende weiden met de muggen, in de trillende aarde, uitgestrekt als de lucht. En luisterend naar de naderende nacht hoorden zij geheim, verwaaid over het donkere land, de paddenroep in de gespannen ruimte hangen, een wekroep. Bij de Piazza del Popolo opnieuw. Bij de stenen vrouw die haar ovale, stenen borst liet zien, waar zij op drukte. Een hinnikende man verkocht schildpadden. Af en toe hield hij er een voor het gezicht van een nieuwsgierige. 'Is dit een goede?' vroeg een jong meisje schuchter. 'Een uitstekende!'

riep de verkoper en wikkelde het dier in pakpapier. Het meisje liep er mee weg onder de arm, een rond, onhandig tasje. Wat gebeurde er mee? Met de gewelfde schelp, met de worm op vier geschubde poten, met het schommelend kopje?

Bij Marcello, de worstelaar, bestelde hij een dubbele cognac.

'Hoe gaat het met de signorina?'

'Zij is weg naar Sicilië,' zei Edward. 'Zij wil op een eiland wonen van nu af aan.'

'Alsof Rome geen eiland is, met Scelba en zijn bende,' zei Marcello schamper. 'Ach, zij is lief, maar zij moet nog veel leren.'

'Dat zei ik haar soms.'

'Dat mag je nooit doen bij een vrouw.'

Arbeiders lachten. Hij bestelde een nieuwe cognac.

'Pas maar op,' zei Marcello, 'anders is zij een dezer dagen werkelijk weg naar Sicilië. Je moet daar niet licht over praten.'

'Heb je haar gezien, onlangs?'

'Zij was hier vanavond nog.'

'Alleen?'

'Neen. Met een blonde, grote vrouw. Een filmster.'

'De Sicilianen!' riep een verhitte arbeider. 'Mamma mia! Zij zijn klein' – hij wees op de hoogte van zijn knie – 'maar gevaarlijk. Delle belve. E potenti! Toen ik geboren was, was mijn vader vijfentachtig jaar, een echte Siciliaan.'

'Dan heb je je vader niet zo goed gekend.'

'Toch wel.'

'Leeft hij dan nog misschien?'

'Helaas niet. Ik was vijf jaar oud toen hij stierf. En voor mijn vijfde verjaardag heeft hij mij een vulpen gegeven met zijn initialen erin. Wel, ik zie ze nog voor mij, die vulpen. Mijn moeder was dol op hem. En let wel op, zij was zesentwintig toen zij met hem trouwde. Hij is gestorven in een treinongeluk.'

'Anders stond hij hier nog bij ons cognac te drinken,' zei Marcello.

'Het ergste is,' zei een arbeider met een bleek vollemaansgezicht, 'als het kind van een ander is. Dat is het ergste op de wereld.'

Een vlam, dacht Edward. Een blauwe kerosenevlam die zich in onze weefsels zet. Dat dragen wij met ons mee. Koude. En hitte tegelijk. In de lauwe huid springt zij op als een durende koorts.

Veel later, uit de loden lucht vielen er nog druppels, kwam hij voorbij de Piazza Cavour, waar er taxi's wachtten. Maar hij had maar driehonderd lire meer. Het Justitiepaleis welfde zijn vele ruggen en in het park zat een vrouw op een bank naast een houten kinderwagen waarin porseleinen beelden zaten, koperen buizen, poppen, obushulzen. Zij sliep. Zij was over de vijftig, met ongelooflijk roodgeverfd haar. Haar gezicht, dat bijna ongerimpeld was maar verweerd, lag tegen haar elleboog. Zij opende een wijd, grijs oog. 'Wat doe je hier?' Het veld achter zijn ogen brandde toen hij het innig gesleep van de tong hoorde, de lucht die zich tussen tong en tand en gehemelte overtollig loste, het slisje dat hem nachten koortsig had gehouden in een land, in een tijd die hij verloren dacht. Nooit verdreven, steeds aanwezig.

'Heb je het niet te koud?' vroeg hij dom.

'Wat is er?'

'Mag ik bij je zitten?'

Zij onderzocht hem. 'T'hanno fatto male, eh?'

Hij veegde zijn ogen, zijn wangen droog.

'Ik heet Michaela.'

'Edoardo.'

'Heb je geld?'

'Driehonderd lire.' Hij haalde het geld ongemakkelijk te voorschijn en stopte het in haar hand. 'Per te.' Zijn vingers schoven over haar wonderlijk buigzame wang, haakten aan het gladgestreken rode haar naast haar oorschelp.

'Je bent een kleine slimmerd.'

Hij lachte terug, hij kon niet ophouden, alsof er een verweking zich van hem meester maakte die hij niet remmen kon. Hij snoof. Maar de tranen welden verder.

'Hoe oud ben je?' vroeg zij.

'Honderdtien. In maart.'

Zij kirde met een zwarte holte van een mond open waarin stukjes tand zaten. Toen zij rechtkroop, haar gezicht zich in de dagelijkse, verweerde plooien trok, haar kin in haar oude, gebulte hals viel, leek zij jaren, jaren ouder.

'Wat moet ik dan met mijn wagen doen?'

'Laat hem buiten staan.'

'Ah, neen! Wacht, ik ga hem bij Petroni zetten.' Zij reed er mee weg, de ijzeren wielen ratelden in de lege straat. Een koele wind zette op, een wind van vloeibaar glas.

'Voorzichtig. De conciërge waakt.'

Hij duwde haar de trap op. Moeilijk raakte haar logge gestalte hoger, om haar nek zwaaide een onthaarde vos. Op de toppen van de tenen liepen zij over de gang, in de benauwde lucht.

'Je hebt een chique kamer.' Zij keek hongerig het blauwe behang af. Hij schonk Marsala in, zij sipten het kleverig, zoet vocht en wachtten. Het was kwart voor drie. Michaela loerde langs het gordijn naar buiten. 'Het regent weer.' Zij hief haar dikke arm, trok de kammen uit haar haar.

'Wel?' zei hij, beefde.

'Non, ci da un bacios?'

Een hond blafte buiten. 'Neen,' zei hij hees.

'Wat dan? Waarom moest ik dan meekomen? Ik ga in ieder geval niet meer weg, door die regen.'

'Je kan hier blijven natuurlijk.' Hij reikte haar de Marsala-fles aan. Zij hurkte neer, plukte aan haar kleren, zat in de zetel, trok haar vos dichter rond haar hals, wreef haar ronde rug tegen de leeg. 'Een sjieke kamer.'

Hij toonde haar Jia's foto's. 'Dit is mijn vrouw.'

'Zij is mooi. Maar ik ken haar.'

'Iedereen kent haar. De mensen op straat draaien zich om om haar te bewonderen, niemand vergeet haar.'

'Komt zij nog vanavond? Hihihi.'

'Neen. Zij is een actrice.' Hij kon haar alles zeggen.

'Ik heb ook nog gedanst. Met ballonnen, zoals het toen de mode was.'

Hij draaide het licht uit, legde zich bovenop het bed.

'Zeg, mag het licht weer aan?'

'Neen.'

'Mag ik dan de gordijnen opentrekken?' De kamer werd klaar en de schaduw van het balkon viel in repen op het balatum. Haar vlokkige schaduw zei: 'Ik hou niet van 't donker.'

'Ik wel.'

De stemmen hingen, dunne reuzenvlinders, in de kamer, ontmoetten elkaar. Haar onzekere, oude stem, haar dringende slis won.

'Nooit kon ik slapen in het donker. Mijn moeder moest altijd een schemerlampje aanhouden naast mijn bed.'

Zij prevelde een donker verhaal en sliep dan in, althans hij hoorde haar niet meer, in het geluidloos ruim waarvan de wanden groeiden en de tralies van het balkon als waaiers openplooiden. Hij zweette en iemand drukte op zijn maag tot hoge golven zijn zinkend hoofd, een papieren boot, omspoelden. In zijn kurkdroge mond vloeide stuwend water binnen, draden van een grassenzee zwiepten langs zijn neus en hielden hem vast, te slappe, te langdurige vingers.

'Ik ben dood,' zei Jia, haar lange, behandschoen-de vingers rond zijn neus. Zij stond en lag, en tolde. Het onaangetast gezicht, de hijgende borst nader-den. Haar mond die glom als lak, de donkerblauwe oogleden als bijna doorzichtige blaadjes. Zij droeg haar collant, haar netkousen. De dichte huls waarin haar sekse geborgen zat als een vogel in touwwerk, was een vochtig nest van zwarte, gekrulde draden. De gelakte mond liet een straal bloed los. Wat moest hij doen? IJs op haar borst leggen zodat het bloed in haar klonters vormde?

'Blijf stil liggen,' riep hij. En door het hoorbaar geluid week Jia. De oude ademhaling in de zetel hortte, hield op, hernam. Buiten ratelde een kar.

Nu wachten op de morgen, de vegetale, groene morgen waarin de zichtbare wind waaide, de zon zat, de adem der mensen zich mengde.

30

Terug van de Vlooienmarkt waar hij alles – zijn linnen broeken, sandalen, regenscherm, nylonhemden, fonoplaten – voor een vierde had moeten laten van wat hij ervoor verwacht had, zat hij ('dit is de laatste maal, ik moet het nu goed aankijken, dit allemaal, opslorpen') aan het terras van Rosati.

'Ah, tradittore.' Leffie baande zich een weg tussen de stoelen.

'Ciao.'

'Jongen, jongen, wat heb ik je gezocht door de hele stad. Ik heb iets enorms voor je. ('Ik heb niets meer gemeen met deze wereld van nadrukkelijke klemtonen, superlatieven, overvolmaakte uitdrukkingen.') Luister, er worden acht jongelingen gevraagd in "Ulisse". De vrienden van Ulisses. Torso nudo, il tipo atletico. Sei essatamente il tipo. En Carlo, de productieleider, is mijn allerbeste vriend, hij doet alles wat ik vraag. Jongen, je hebt geluk dat je mij nog aangetroffen hebt. Ik bel hem meteen op.'

'Neen, Leffie. Ik ga naar België terug. Morgen om twee uur.'

'Het kan niet. Het is de kans van je leven.'

'Toch.'

'Muoio!'

'Ik kan er niets aan doen.'

'En ik dan? Wat doe ik zonder jou? Dio mio, je bent de ondankbaarste vlegel die ik ooit ontmoet heb. Je laat ons dus zo maar in de steek, wij die allen zo veel van je houden, om daar in de sneeuw en het ijs te gaan baggeren in het noorden! Wel, je moet het zelf weten. In elk geval gaan wij vanavond feestvieren. Wij trommelen de oude bende op. ('Ik heb er nooit bij gehoord, bij de oude bende van het Ras van de Glimlach. Hangen zij allen aaneen met even precaire draden?') Aspetta, er is een feest vanmiddag bij de dikke Banco, zijn been wordt in de plaaster gezet, misschien is het nog niet helemaal afgelopen. O, wij gaan ons ziek lachen! Overigens, Jia is er ook.'

'Weet je het zeker?'

'Ik telefoneerde haar vanmorgen nog!'

Het jongensgezicht loog niet. 'Kan er in de ongave blaas van de wereld Rome die ik nu gauw verlaat nog een scherf dringen, verblindend, nieuw? Ik moet haar nog zien, het kan niet anders.' Overigens was hij niet daarom, met de schaamtelijke hoop tintelend in hem, aan het terras van Rosati komen zitten?

Leffie ging hem voor door de nauwe rotsgang langs het Foro Romano, het rook er naar urine en honderden katten. Toen langs de beschimmelde, verbrokkelde muren naar de Piazza del Grillo. De portier, pet in de hand, grijnsde alsof hij in het spel ingewijd was. 'De mooiste dames zijn al vertrokken, signor Leffie.'

'Bemoei u met uw eigen zaken.'

De portier bleef grijnzen in de lift. Edward dacht: deze overbodige reis, het is een afscheid te veel, het vertroebelt de al zo onduidelijke aftocht nog meer. Leffie stond op zijn tenen in de lift, om groter dan de portier te lijken.

'Ecco signori.'

'Lomperik,' zei Leffie.

In de gang brandde een olielampje voor een marmeren Hermes waarvan iemand de navel roodgeverfd had, een ster die uitschoot, een spin, en toen de deur van Banco's appartement openging, sloeg een zoete weeïge rook naar buiten. 'Ciao, ciao, ciao!' Men klopte Edward op de schouder, Leffie werd ge-

zoend. 'Komt binnen, het feest is nog lang niet afgelopen.'

Op divans, op de volle, witte tapijten, in zetels lagen, zaten de leden van het Ras van de Glimlach en
gesticuleerden in eenzelfde vertraagde beweging.
Op de pingpongtafel sliep een jongeman, de vrouwen die rond hem kakelden, kietelden hem met
hun limonaderietjes.

'Edoardo, carissimo, ik dacht dat je al weg was,'
riep Palla.

'Ik ook.' Edward zocht, in de living, in de slaapka-
mer, haakte in de gespreide, lange benen, vermeed
de grijparmen, de glimlachende wenkende, gladde
acteurs, scenaristen, decorateurs. De rook vlotte op
de hoogte van zijn mond in verdrijvende witte
slierten.

'Ciao.' Zij was er, zij stond bij Violet, zag hem komen. Haar smalle, blauw en groen gestreepte broek
spande rond haar dijen; toen hij vlakbij kwam,
steeg de zoete lucht gekruider, sterker uit haar. Haar
gedoofde ogen. De mond die een nerveuze geeuw
onderdrukte. Violet naast haar hield een uiterst
peukje sigaret in een holle, beschermende handpalm.

'O, Edward, je bent geel vanavond,' zei Violet. Ie-

dereen schaterde als op commando, in de vertraagde mallemolen, tussen de wiekende gebaren zwaaide zij haar arm naar hem, als was hij in een
kilometerverre vertrekkende trein.

'Kom.' Jia ging hem voor naar de keuken. Door
het open raam waren de ruïnes van het Forum te
zien, getande schaduw en maanbelichte holtes. Op
het wasdoeken tafelkleed zat de dikke Banco in zijn
onderbroek en rookte, hield met dezelfde school-
jongensachtige verborgenheid als Violet zijn peukje in de hand. Voor hem lag zijn been uit, heel recht
en onafhankelijk in zwachtels waaruit bloedloze
tenen staken. Hij zoog aan zijn sigaret en gaf ze
over aan Jia.

'Mijn jonge vriend, mijn lieve vriend.' Banco
spreidde zijn armen om hem te omhelzen maar
Edward naderde niet.

'Tu quoque, Edoardo, kom mijn foltering toejui-
chen.'

Banco lachte schril, de bulten van zijn borst en
zijn lenden trilden. 'Ik ben er niet,' riep hij hoog.
'Men plaastert een man dicht die er niet is, jullie
applaudisseren een schim, een vastgemetselde
schim.'

'Luister.'

'Zeg niets.' Edward duwde zijn vinger tegen Jia's mond. Haar heup beroerde zijn dij en hij verschoof; haar beschadigde blik, haar gezwollen keel, hij kon het niet verdragen. Het is de plaats, de tijd en het meisje, dacht hij. 'Ik zou nog dagen, dagen lang te Rome kunnen blijven. Nu hier blijven in het door- rookte huis, en alle apen van het Ras zouden ap- plaudisseren, ook Violet, als ik haar nam hier op het tapijt, zouden applaudisseren als voor het been van Banco. Het is niet moeilijk. Zij is hongerig door de wervelende, bittere knaging in haar. Zij schatert uitzinnig nu, zonder dat haar kaakspieren bewe- gen. Zij behoort mij toe nu, de hele tijd.'

'Je gaat weg.'

'Morgenmiddag.'

'Ik weerhoud je niet meer.'

'Neen.'

'Eerst moet er een elastieken kous rond het been,' lalde de boeddha op de keukentafel, 'daar komt plaaster op, daarna dotjes watten, dan weer plaas- ter en dan vijfendertig meter verband.'

'Je bent hard,' zei het meisje. 'Je weet niets van mensen af. Zijn alle mannen daar zo, in het noor- den, vervroren van in de wieg?'

Haar oogwit dreef in glycerine. In het scherp uitgesneden oor zat een ijzeren gepunt sieraad met een blauwe steen in het midden.

'Je had niet meer moeten komen. Nu niet. Ik had je al vaarwel gezegd, ik wist al dat je er niet meer was.'

'Ik ben er nog.'

'Neen. Niet meer.'

Zij luisterden naar Violet in het salon ernaast, een dichtbije stem die onvast op een touw wandelde.

'Je kon geen liefde uitvinden, nietwaar? Je kon niet doen alsof er liefde kon zijn, nietwaar?' Hij hing aan haar koppigheid vast die door de nevels wilde dringen waarin zij gevangen zat, hij volgde haar in de nevels, trad in haar kwetsbare, lenige, taaie aanwezigheid. Maar werd afgestoten door wat zij opriep, een enig, voortdurend ogenblik (geen vooruitzicht, geen hoop, geen huis) en dat ogenblik behoorde Violet, al verzette Jia er zich nog zo tegen. Ik ben te lang gebleven, dacht hij, in deze beklemming, deze afwezigheid van liefde. Ik was zo koud als zij tegenover mij, misschien raakten wij elkaar aldus.

'Denk je dat je het houden kunt, Edward, altijd, altijd vluchten?'

'Lieveling.' Violet nam Jia's taille. 'Is de gele man boos op je? Je mag haar geen kwaad doen, Edward.'

'O, krijg de kanker allemaal,' zei Banco log.

Jia omklemde een vijfhoekige, glazen asbak. Edward raadde hoe gemakkelijk hij de asbak uit haar beringde hand zou kunnen wringen, hoe het doorschijnend wapen het licht van de kroonluchters zou opnemen als hij Jia sloeg, bij de wenkbrauw, in de dooraderde, geverfde slaap.

'Ik ben bang.'

Hij volgde als een doofstomme haar lippen. Kon er elk ogenblik bebloed schuim uit wellen?

'Waarom?'

'Dat je mij vergeten zal.'

Hij lachte geluidloos. Er was geen hindernis meer, iets beslissends was er niet te verwachten. Haar koel gezicht, een ongerimpelde olievlek, ontging hem, vloeide weg. Ook het buigbaar lijf, de rubberen, smalle borst. In de kamers stampte men tegen de parketvloer, iemand danste. Violet misschien, de koude tangodanseres, tennisspeelster. Jia's schmink was goed aangebracht, door de kundige hand van Violet natuurlijk; de laag pancake, de glinsterende lippen bekleedden haar levende huid voorgoed nu. Hij riep allerlaatste banderillo's op, hij schreeuwde erom, maar het gevecht was al lang ten einde, wist hij toen.

'Kinderen, iedereen moet nog zijn naam op mijn been zetten,' zei Banco. 'In inkt, anders gaat het eraf.'

'Blijf.' Bijna onhoorbaar zei zij het. Hij kuste haar bezwete pols. 'Ga niet. Nu niet, Edward.'

Onder de roodverlichte boog beneden stond de portier en nam zijn pet af.

'Buona notte.'

'Buona notte.'

Hij draaide zich niet meer om. Geen vlugge, scherpe hakken tegen de natte keien zouden volgen. Het was niet noodzakelijk, het gebeurde dus niet. 'Hop,' zei hij, 'naar het heldere en grijze land daarboven.'